KB012497

회귀 경찰의 리셋 라이프

The Reset Life

회귀 경찰의 리셋 라이프 8

초판 1쇄 발행 2022년 3월 10일

지은이 | 한길
발행인 | 신현호
편집장 | 이호준
편집 | 송영규 최종건 정재웅 양동훈 곽원호 조정범 강준석 최성화
편집디자인 | 한방울
영업 | 김민원

펴낸곳 | ㈜ 디앤씨미디어
등록 | 2002년 4월 25일 제20-260호
주소 | 서울시 구로구 디지털로 26길 111 JnK디지털타워 503호
전화 | 02-333-2513(대표)
팩시밀리 | 02-333-2514
E-mail | papy_dnc@dncmedia.co.kr
블로그 | blog.naver.com/gnpdl7

ISBN 979-11-364-3116-5 04810
ISBN 979-11-364-2581-2 (SET)

Papyrus Modern Fantasy

한길 현대 판타지 장편소설

회귀경찰의 리셋라이프 8

PAPYRUS
파피루스

1장. 아버지

아버지

종혁은 얼른 담배를 물었다.

치이익!

자신도 담배를 꺼내 불을 붙인 사십대 사내는 한숨을 내뱉었다.

"상황이 좀 지랄 맞게 됐다. 아, 반말해도 되지?"

종혁은 단숨에 상황을 파악했다.

오늘 아침 대뜸 전화를 해 감찰을 막지 못했다 미안해 하던 최기룡 청장.

내가 힘이 없어서 미안하다는 그의 사과는 모두 거짓이었다.

그래서 세게 나갔었는데 모두 장난이었다.

'하, 진짜.'

"계급장 단지 반년도 안 된 놈이 벌써부터 이런 사고나

치고. 나이는 또 24살밖에 안 되네? 씨발?"

"아하하."

머리를 긁은 종혁은 눈빛을 가라앉혔다.

"그래서요?"

"제법 큰 칼이 옆구리를 찔렀어. 칼자루에 금배지가 달렸어."

'국회의원?'

종혁의 눈이 번뜩였다.

"뭐 그렇다고 한들 그딴 새끼들이 우리 경찰을 어떻게 할 수 있겠냐마는…… 그래도 요식 행위 정도는 해 줘야지. 예산 타 내려면. 어른들 사정이지만 이해 좀 해 주라."

"감찰에서 쓰는 전자 기기들 싹 다 바꿔 드릴까요?"

"……어후. 나 방금 흔들렸어."

"하하."

"아무튼 그렇게 알고. 시보 둘은 적당히 할 테니까 너무 걱정 말고. ……그놈들은 자기들보다 어린 사람한테 감싸여졌는지 아나 몰라?"

한승연과 최재수는 종혁보다 연상이었다.

"이왕이면 표창장 탈 수 있도록 해 주십시오."

"그건 내 권한이 아니고. 뭐 그래도 노력은 해 볼게. 잘한 일 한 거니까. 간다."

사십대 감찰은 재떨이에 담배를 비벼 끄며 돌아섰다.

"아, 그런데…… 음, 요새 어느 기업이 좋냐? 언감생심 부동산은 못 노리겠고."

슬그머니 눈알을 굴린 종혁은 지갑에서 명함 하나 꺼내서 내밀었다.

“제 이름 밝히시면 안전하고 확실하게 자산 관리를 해줄 겁니다.”

“……소액도? 나 한 달 용돈 20만 원도 안 돼.”

종혁은 그의 바지 뒷주머니를 두드렸다.

“두둑해지실 겁니다.”

“짜식이, 어디 어른 엉덩이를…… 그래도 땡큐!”

웃으며 돌아선 그는 다시 몸을 멈췄다.

“우리 너무 미워하지 마라. 우리라고 같은 식구를 찌르고 싶어서 찌르겠냐. 정말 간다.”

쿵!

취조실의 문이 닫히며 처량한 목소리도 흩어져 사라졌다.

그가 나간 문을 빤히 응시하던 종혁은 의자에 앉아 생각에 잠겼다.

“국회의원이라…… 그쪽하고 연결된 끈은 없는데…….”

있다면 강철선의 라인을 타고 올라가야 한다.

“뭐 어떤 놈이 막아서건 박살 내면 되겠지.”

종혁은 몸을 일으켜 취조실을 빠져나가며 핸드폰을 들었다.

“예, 청장님.”

―허헛! 놀랐어?

“아니, 이런 거라면 미리 말해 주셨어야죠. 이럴 줄 알았다면…….”

쿵!

문이 닫히며 취조실은 평소처럼 입을 다문 채 다음 사람을 기다렸다.

가해자와 피해자, 경찰.

이 세 부류의 사람을.

* * *

"크아아!"

요란하게 기지개를 편 오택수가 담배를 물었다가 타인에 의해 뺏긴다.

"작작 좀 펴요. 그러다 폐 썩습니다."

"너나 끊고 말해, 짜샤. 아오!"

담배를 부러트린 종혁은 화창하게 맑은 하늘을 봤다.

"그래서 답은 언제 줄 겁니까?"

움찔!

본청에 같이 갈 거냐는 러브콜에 대한 답변.

"이만하면 대충 파악했잖아요."

"파악은 개뿔."

알면 알수록 더 모르겠다.

종혁의 한계에 대해. 정체에 대해.

방금 전 감찰도 정말 각오를 했는데 요식에 지나지 않았다. 최기룡 청장과의 끈이 밧줄보다 더 두껍단 뜻이다.

담배를 문 오택수는 하늘을 봤다.

그렇게 얼마의 시간이 지났을까.

얼굴이 따끔해질 때쯤 오택수의 입이 열렸다.

"……야, 근데 이런 건 풀코스로 쫙 대접하고 물어야 되는 거 아니냐?"

찌릿.

성취감이 온몸이 울린 종혁은 쪼그려 앉았던 몸을 일으켰다.

"몸이나 만드세요. 달건이, 뽕쟁이뿐만 아니라 세상 모든 개새끼들을 다 때려잡아야 하니까. 여차하면 같은 식구도. 그럼 갑니다. 내일 봬요."

"야! 근데 오야는 나지? 특수에서 반을 새로 만들고 내가 반장을 맡는 거지? 정말 한계 없는 수사 가능한 거지?"

손을 흔든 종혁은 차를 몰고 집으로 향했다.

어차피 오늘까지 낸 휴가.

"아, 늘어지게 자고 싶네."

드디어 가슴에 품고 있던 또 하나의 사건을 해결했다.

오늘은 정말 푹 쉬고 싶었다.

부우웅.

종혁의 그런 열망을 담은 차가 도로 위를 빠르게 달렸다.

하지만, 그 소망은 집에 도착하자 산산이 부셔졌다.

지하주차장에 세워진 군 관용차.

그리고 종혁의 차가 진입하자 차에서 내리는 소장 계급의 오십대 후반의 군인.

종혁은 그를 보며 비릿하게 웃었다.

* * *

뚜벅뚜벅.

마포경찰서 유치장에 도착한 육군 소장 윤경수는 유치장 한구석에서 구겨진 채 지고 있는 아들을 가만히 바라봤다.

'대체 어디서부터 잘못된 걸까.'

어려서부터 남들과 달랐던 아들.

처음 이상함을 감지한 건 아들 영철이 5살이 됐을 무렵이다.

아내가 교통사고로 죽은 후 집에 혼자 있던 아들.

그날도 눈에 밟혀 일찍 퇴근했다. 그리고 마당에 죽어 있는 쥐를 뒤적거리는 아들을 발견했다.

그땐 그러려니 했다.

국민학교에 입학해서도 마찬가지였다.

짝꿍의 팔을 그은 건 그럴 수 있었다. 고작 8살 어린 나이에 뭐가 잘못된 건지 어떻게 알겠나.

하지만 어느 날 저녁 늦게 퇴근하던 길 거품을 토하고 죽은 작은 새끼 고양이와 그 앞에서 쪼그려 앉아 약 봉투 하나를 꽉 쥔 채 웃고 있는 아들을 본 순간 아들이 다른 사람들과 다르구나를 깨달을 수 있었다.

처음엔 달랬다. 그러면 안 된다.

아이의 가치관을 형성해 주고 교육을 담당했어야 할 엄

마가 없기에 이렇게 됐구나 하는 미안함에 달래기만 했다.

그렇게 1년, 2년, 3년.

동네에서 들고양이들이 모조리 죽어 가고, 사육장도 동물이 모조리 죽어 끝내 폐쇄를 했어도 달래기만 했다.

그러다 아침에 일어나 밥상 앞에 앉는 순간, 국에서 농약 냄새를 맡는 순간, 그리고 호기심 가득한 눈으로 자신의 바라보는 아들을 본 순간 내 아들이 괴물이구나라는 걸 깨달았다.

그래서 팼다. 그때부터 패서 가르쳤다.

속에서 피눈물이 흘러도 패면서 가르쳤다.

해선 안 될 짓을. 해도 될 짓을.

네 안의 괴물을 들키지 않는 법을.

사람들과 평범하게 어울리는 법을.

폭력으로 억지로 욱여넣었다.

"그렇게 잘 가르쳤다 생각했는데……."

결국 아들은 배신했다.

들고양이들이 죽어 나가는 건 외면했다. 아들도 쌓인 걸 풀어야 하는 게 있어야 할 테니까.

그런데 그걸로는 모자랐던 것 같았다.

결국 사건은 터져 버렸고, 그때부터 새장 속 새처럼 감시했다.

10년을 감시했다.

죽어 나가던 동물들도 어느 순간 멈췄다.

그래서 감시를 풀었다.

그런데…….

“결국 넌 또 이 애비의 기대를 헌신짝처럼 버렸구나.”

‘차라리 그때 다른 선택을 했으면…….’

그는 짙은 후회감에 몸을 떨었다.

“우으음. ……아버지? 아버지!”

무릎걸음으로 달려오다 일정 거리를 두고 멈춘 아들 영철.

여실히 느껴지는 부자간의 거리에 윤경수의 가슴이 찢어진다.

“죄, 죄송해요, 아버지. 그, 그러니 제발 다시 감시만은…….”

“많이도 죽였더구나.”

“그, 그게 참을 수가 없어서가 아니라 아버지가 절 계속 봐 주시는지 궁금해서 그런 거예요! 그래서 그랬어요!”

“또 뻔히 보이는 거짓말을 하고.”

“거짓말이라뇨. 진짜예요!”

“인터넷은 왜 했니. 여자는 왜 불러들였고. 왜 때렸고.”

“저도 스물여덟인데 여자는 만나 봐야 하잖아요. 그래야 아버지께 손자손녀도 안겨 드리고. 그런데 걔가 아버지를 욕하더라고요. 군인이면 가정에 소홀하겠다고…….”

거짓말이 아닌 말은 결코 나오지 않는 아들의 입.

‘내가 준 마지막 기회를 저버린 건 너다, 아들아.’

그는 속에서 피눈물을 흘리며 천륜의 끈을 잘라 냈다.

“잔말 말고 입대할 생각해라.”

“입대라뇨? 그건 아버지가…….”

“입대하자마자 군정신병원으로 들어갈 테니 그리 알아.”

"아버지!"

"그렇게 딱 3년만 있어. 저 시끄러운 바깥이 진정되면 꺼내 줄 테니까."

3년이 아니다.

윤경수 본인이 군인으로 있는 시간 내내 군정신병원에 갇힐 것이다. 다만 사는 데 불편함은 없을 것이다.

그것이 아비로서, 부모로서 할 수 있는 마지막 배려였다.

"아!"

윤경수는 얼굴이 확 밝아지는 아들을 보며 서글피 웅시했다.

참 밉고 못 미더웠던 아들.

보듬고 감싸 안으며 온정을 준 것보다 때리고 억압하며 키운 하나뿐인 아들.

'아내가 살아 있었어도 이리 자랐을까…….'

재혼을 해서 새엄마라도 안겨 줬으면 달라졌을까.

국에 농약을 탔기에 당시엔 그럴 엄두도 못 냈지만 지금에 와선 후회가 된다.

"여기선 일주일만 버텨. 그리고 군대 가는 거다."

"예! 사고 치지 않고 있을게요!"

대답은 참 잘하는 아들을 빤히 응시하던 그는 몸을 돌렸다.

경찰서를 빠져나온 그는 어느새 우중충한 하늘을 보며 눈을 가늘게 떴다.

"한승연이라고 했던가?"

이 죄를 어떻게 갚을 수 있을지 가늠조차 되지 않는다. 천 번, 만 번 깊이 허리를 숙여 사과를 한다고 해도 부족할 거다.

그리고…… 사과를 해야 될 사람이 더 있었다.

'최종혁 경위, 오택수 경위.'

아들을 빼내기 위해 어쩔 수 없이 흔들어야 했던 사람들.

이 둘에게도 사과를 해야 한다.

아무래도 오늘 하루는 무척이나 길 것 같았다.

"출발하지."

* * *

종혁의 집인 정혁 빌딩 1층 카페 안.

옆에 모자를 내려놓은 장군과 종혁이 마주 앉았다.

군인답게 약간은 사나운 눈매와 한 일자로 굳게 다물어진 입술. 꼿꼿이 세운 허리와 쫙 펴진 어깨에선 깐깐함과 당당함이 물씬 풍긴다.

군인의 표본 자세라고 할 수 있다.

"윤영철의 애비, 대한민국 육군 소장 윤경수입니다."

누가 군인 아니랄까 봐 목소리 톤이 높고 울리며, 발음이 정확하다.

종혁은 그의 소개에 속으로 피식 웃었다.

"대한민국 경찰 경위 최종혁입니다."

"방콕 아시안게임과 시드니 올림픽 때 금메달 따신 모

습은 잘 봤습니다."

"저도 보내신 선물은 잘 받았습니다. 행동이 빠르시더군요."

윤경수 소장은 씁쓸히 웃었다.

'알아차렸나.'

젊은 사람이 참 영특하다.

몸을 일으킨 그는 허리를 숙였다.

"못난 아들놈이 해선 안 될 몹쓸 짓을 했습니다. 저 역시도 최종혁 경위님께 큰 실례를 했습니다. 깊이 사과드립니다."

그렇게 사과하는 그에게서 진심이 절절 느껴진다.

종혁의 눈이 가늘어졌다.

'수작은 아닌 것 같은데…….'

그래서 더 믿음이 안 간다.

사과를 하기보다 뒤통수부터 때린 사람이 이렇게 진심으로 사과를 해 온다. 아무리 봐도 정상적인 상황이라고 볼 순 없었다.

"……아드님은 만나고 오셨습니까?"

"한승연 순경님께도 사과를 드리고 오는 길입니다."

종혁의 얼굴이 구겨진다.

윤경수는 육군 소장이다. 한승연에게 큰 압박이 됐을 거다.

"이게 지금 뭐하는……."

지이잉! 지이잉! 지이잉!

"후. 잠시만요."

-경위님! 방금 전에…….

문자들을 확인한 종혁은 묘한 표정을 지었다.

윤경수 소장이 사과만 하고, 곧 다시 찾아와 보상을 하겠다는 말을 남기고 떠났다는 내용들.

"오택수 경위님은 연락이 닿지 않더군요."

"……대체 무슨 수작입니까?"

"아들을 군정신병원에 입원시킬 생각입니다. 평생토록."

달그락 새까만 커피 안에 떠다니던 얼음이 부딪친다.

차가운 머그컵처럼 웃으며 서로 존대를 하고 있는 둘 사이의 공기도 차가워진다.

"……그래서 그랬던 거군요."

이제야 왜 감찰을 움직였는지 깨닫게 된 종혁은 헛웃음을 터트렸다. 그러다 이를 드러냈다.

"함정 수사로 사건을 무마하면 될 거라고 생각했습니까?"

육군 소장이라서 그런지 머리가 좋다.

함정 수사가 이번 검거, 즉 윤영철의 극단적인 행동에 영향을 끼쳤다면 윤영철의 죄는 성립되지 않을 가능성이 생긴다.

빈틈을 제대로 찌른 거다.

"그랬습니다."

종혁은 담담하게 말하는 그의 모습에 어이가 없어졌다.

'하여튼 이 군인 놈들은!'

회귀 전 퇴역한 군인들이 저지른 사건을 몇 번 담당해

본 적이 있는 종혁으로선 열이 뻗친다.

남을 통솔하는 위치에서 오래 살아서 그런지 언제나 당당하던 그들. 체면과 위신을 지키기 위해 어쩔 수 없었다는 개소리를 당당하게 지껄이던 그들.

어딘가 한 곳이 어긋나 있는 그들.

당연히 반발심이 들 수밖에 없다.

"아들을 도피시키려는 분이 당당하군요."

"도피가 아니라 사회에서의 격리입니다."

"내가 믿을 것 같습니까?"

"내가 양해를 구하는……."

말을 하던 윤경수는 입을 다물었다.

'흥분했군.'

왜라는 의문이 떠오르다가 종혁의 눈을 보고 답을 얻는다.

'나에 대한 믿음이 없다.'

언제나 존경을 보내오고, 상명하복을 당연시 여기는 휘하 군인들에게선 찾아볼 수 없는 눈빛이다.

"제 진심이 전해지지 않았나 보군요."

"글쎄요. 초면에 계급장부터 들이밀며 압박하시는 분이 하는 말이라 다 압박처럼 들리는군요."

'……그랬던가.'

그는 그제야 본인의 잘못을 깨달았다.

실책이었다. 군대와 사회는 상식이 다르다는 걸 인지하고 있어야 했다.

"미안합니다. 군인이 아닌 분을 만날 때 습관처럼 했던 소개가 오해를 불러일으켰나 봅니다."

몸을 일으킨 그는 다시 허리를 숙였다.

"다시 인사드리겠습니다. 아들을 잘못 가르친 못난 애비 윤경수입니다. 해선 안 될 짓을 한 아들을 대신해 깊이 사과드립니다."

방금 전보다 더 깊고 정중하다.

목소리도 방금 전보다 더 미안함이 담겨 있다.

"으음……."

'정말 진심이었나. 정말로 윤영철을…….'

얼마 전에 만난 부장판사 백순재의 모습이 떠오른다.

음주운전을 한 것도 모자라 측정을 거부하고 도주했던 아들의 죄를 있는 그대로 토해 내게 만들었던 그.

종혁은 결국 몸을 일으켜 고개를 숙였다.

"심적 고생이 크시겠습니다. 심심한 위로의 말을 드립니다."

"……감사합니다."

'거울 같은 젊은이로군.'

이쪽에서 한 행동을 그대로 되돌려준다.

무의식이건, 의식적이건 있는 그대로 비춘다.

그래서 다행이라 생각한다. 아들이 이런 사람에게 잡혔다는 게.

하지만 종혁의 말은 아직 끝나지 않았다.

"그리고 죄송합니다."

"결국……."

"피의자 윤영철의 심리 상태가 일반인과 다르다는 건 압니다. 하지만 그렇기에 더 본인의 죗값을 알아야 한다는 게 제 생각입니다."

"교도소보다 정신병원이 더 괴롭고 힘든 곳입니다."

"그걸 왜 모르겠습니까."

멀쩡한 사람도 한 번 들어가면 미쳐 버리는 곳이 정신병원이다.

"하지만 그렇게 갇혀 미쳐 가게 된다면 결국 윤영철에게 남는 게 뭘까요."

윤경수에 대한 원망뿐일 거다.

"그 부분은 각오하고 있습니다. 그 역시 제 업일……."

"아버님, 제가 개입하지 않았으면 선량한 시민이 죽었을 겁니다. 앞으로 어떤 인물이 될지 모를, 23살 꽃다운 아가씨가 본인의 가능성도 알지 못한 채 억울하게 죽어 갔을 겁니다."

자신을 죽이려 드는 윤영철을 두려워하고.

자신을 구하러 오지 않는 부모님을 원망하고.

경찰을 원망하고.

그런 절망 속에서 처참하게 죽어 갔을 거다.

그런 윤영철이기에 최소한 자신이 어떤 죄를 저질렀는지는 알아야 한다. 그래야 훗날이라도 후회할 가능성이 있기에.

티끌만큼이라도 가능성이 있기에 그래야 한다.

이 말에 윤경수는 눈을 질끈 감았다. 그제야 아들이 얼마나 끔찍한 짓을 저지르려 했는지 완벽하게 깨닫게 된다.

하지만.

"……도돌이표군요."

종혁은 한숨을 내뱉었다.

"아버님은 부모시고요."

이해는 하지만 인정은 할 수 없단 종혁의 눈빛에 윤경수는 결국 각오를 다졌다.

"군대. 수십만 장병들이 불철주야 이 나라를 지키는 군대라는 곳이 생각보다 좀 좁습니다. 전 그 군대의 소장입니다. 그렇다 보니 경위님이 생각하시는 것보다 아는 분들이 많습니다. 아주…… 많습니다."

"예. 그러시니 피의자 윤영철이 검거되고 단 하루 만에 감찰이 나온 거겠죠. 그 부분은 여실히 깨닫고 있습니다."

"그래도 정녕 그러실 생각입니까?"

"아버님, 아니 윤경수 소장님. 여긴 사회입니다. 그리고 이곳 사회는 제 영역입니다."

"……그 올곧은 뜻, 잠시 꺾인다고 해도 부디 변치 않길 바랍니다."

"살펴 들어가십시오."

모자를 챙긴 윤경수가 카페를 나서자 종혁은 한숨을 쉬며 핸드폰을 들었다.

"예, 박 기자님. 윤영철 사건 터트려 주세요."

감찰에서 연락이 오자마자 스톱시켜 놨던 기사.

전화를 끊은 종혁은 담배를 물며 일어섰다.

어느새 우중충해진 저 하늘처럼 슬픈 싸움이 될 것 같았다.

"우라질……."

미친놈 한 명 때문에 여러 사람이 힘들어하고 있었다.

* * *

타다다다다닥!

날이 꾸물꾸물하더니 여지없이 비가 쏟아진다.

"아, 그 양반."

최기룡 경찰청장의 옆구리를 쿡쿡 찌른, 윤경수 소장이 동원한 국회의원 인맥.

종혁은 그가 누구인지 최기룡에게 넌지시 물었으나, 최기룡은 종혁이 이런 정치질에 휘말리기 원치 않는다는 듯 끝까지 입을 다물었다.

하지만 그렇다고 때린 놈이 누군지 모르고 넘어갈 순 없었다.

-강원도 철원, 양구 등을 지역구로 삼은 사람인데, 2선이에요.

"재밌네요. 2선 국회의원이 경찰청장을 다 압박하고."

-거기가 그쪽 텃밭이잖아요.

종혁은 고개를 끄덕였다.

감찰 쪽도 그러지 않았던가. 어른들의 사정이라고.

최기룡 청장은 2선 국회의원이 아니라, 그 윗선을 보고 감찰이라는 결정에 동의를 한 것일 터였다.

-그런데 최기룡 청장의 사과는 받으셨어요?

종혁은 피식 웃었다.

"네. 감찰 끝나자마자 받았습니다. 먼저 전화도 주셨고요."

-섭섭하진 않으세요?

"섭섭하긴요."

최기룡 청장은 정말 많은 배려를 해 주고 있다.

순환 근무임에도 경제팀에 들리지 않고 부서를 골라 갈 수 있다는 것부터 그의 배려가 아니었다면 불가능한 일이었다.

제아무리 경찰대 수석이고, 불러 주는 곳이 많다고 해도 어겨선 안 되는 조직의 룰을 어겨 가며 배려해 준 거다.

그에겐 큰 리스크였을 터.

이번 감찰에 본인의 손이 닿은 사람을 보낸 것도 말이다.

장난이었어도 미리 전화를 해 준 마당이니 섭섭함이 있을 리가 없다.

-그렇다면 다행이네요. 이제 어떻게 하실 건가요?

"……일단은 묵혀 둬야죠."

이쪽에서 얻어 낼 건 다 얻어 낸 이후 터트린다.

누구의 부탁이건 칼을 휘둘렀다면 그 책임을 져야 한다.

그게 종혁의 생각이었다.

'그래도 혹시 모르니까…….'

"혹시 권&박 회원 중에 군인도 있습니까?"

-몇 분 계시긴 한데…… 그분들이 윤경수 소장의 반대

파벌인지는 모르겠어요. 한번 알아볼까요?

"일단 알아봐 주시고, 군에서 어떤 움직임이 있는지도 좀 알아봐 주세요. 병무청 쪽으로요."

그녀가 만들어 놓은 인맥이면 충분히 알 수 있을 거다.

"그리고 이 국회의원 양반과 대척점에 선 분도 좀 알아봐 주세요. 부탁드립니다."

—그건 쉽죠! 알았어요!

전화를 끊은 종혁은 긴 한숨을 내뱉으며 침대에 누웠다.

"정작 문제는 판사인데……."

확실한 끈이 없으니 애매하다.

윤경수 소장 쪽에서 작정하고 덤벼들면 첫 공판까지 가는 데만 한 세월이 걸릴 수 있다.

그사이 윤영철의 군 면제가 풀리고 입대를 시켜 버리면?

윤영철은 영영 손을 떠나 버리게 되는 거다.

"윤경수 소장이야 평생이라고 말했지만, 그가 퇴역을 하거나 죽으면?"

윤영철은 다시 사회로 나오게 될 것이다. 그것도 그를 억제하던 유일한 족쇄가 사라진 채로.

그사이에 정말 군정신병원 안에 갇혀 미쳐 버린다면 아무런 문제도 없겠지만, 종혁은 그렇게 낙관하지 않았다.

아버지의 감시를 벗어나기 위해 몇 년 동안 끓어오르는 욕구를 눌러 참은 윤영철이다. 군정신병원 안에서도 정신줄을 꽉 붙든 채 버틸 확률이 높았다.

회귀 전, 윤영철은 사형 선고를 받은 직후에도 자신의

죄를 조금도 뉘우치지 않았다. 오히려 자신이 무엇을 잘못했느냐며 뻔뻔한 태도를 일관했다.

종혁은 그런 놈을 인간으로 생각해선 안 된다고 여겼다.

놈은 인간이 아니라 짐승이었다.

윤영철은 사회로 나오는 순간, 그가 저질렀던 악행을 몇 번이고 반복할 놈이었다.

그런 놈들에겐 자신이 저질렀던 행위의 무게감을 깨닫게 하고, 절망을 안겨 줘야 했다.

그때였다.

똑똑똑.

“들어가도 돼?”

“네, 들어오세요.”

스륵.

문을 열고 들어오던 고정숙은 침대에 누워 있는 아들을 보고 살짝 놀랐다.

씻지 않고서는 절대 침대에 눕지 않던 종혁.

그런 종혁이 외출복을 입은 채 침대에 누워 있는 탓이었다.

그녀는 무슨 일이냐 자신을 쳐다보는 아들의 옆에 앉아 손등을 쓸어내렸다.

“많이 힘들어?”

“힘들긴. 이제 겨우 4개월도 안 됐는데.”

“원래 그때가 제일 힘든 법이야.”

“그렇다고 해도 아들 체력엔 이상 없으니까 너무 걱정

마세요.”

종혁의 얼굴을 빤히 본 그녀는 속으로 한숨을 내쉬었다.

‘아마 오늘 일 때문이겠지.’

1층 카페에 있었던 일은 그녀도 전해 들었다.

군복에 별이 두 개.

분위기가 심상치 않았다고 한다.

“아들, 앞으로도 쉽지 않은 사람들을 상대하게 될 일이 많을 거야.”

남편도 그랬다.

그때마다 힘들어했던 남편의 모습이 아직도 생생했다.

“하지만 어떤 장애물이 가로막고, 어떤 방해가 들어와도 네 생각을 꿋꿋이 밀고 나가. 난 그런 내 아들 응원할 거니까.”

남편도 살아 있었다면 분명 이렇게 말했을 것이다.

그 자신도 생전에 그랬으니까.

“……하핫!”

얼굴이 딱딱하게 굳어 가던 종혁은 결국 웃음을 터트렸다. 어머니에게 걱정을 시켰다는 자책감보다 어머니의 응원이 더 크게 다가온다.

가슴이 뜨거워진다.

“힘들면 말하고. 이깟 건물, 돈 없어도 되니까.”

“옙! 충성.”

“그럼 푹 쉬어. ……아, 그보다 먼저 씻고! 집에 오면 씻기부터 해야지! 내가 24살 처먹은 아들한테 이런 것까지 지적해야 되니?”

“어? 어어어! 알겠습니다!”

화장실로 달려가는 종혁의 낯빛은 방금 전보다 한결 가벼웠다.

응원해 주는 사람이 있다는 건 이렇게 힘이 되었다.

* * *

채팅 살인?

채팅이 불러온 끔찍한 범죄!

얼굴 없는 애인! 과연 가능한가?

윤 모 씨. 그는 범죄자인가, 정신병자인가?

대한민국 모든 언론이 윤영철 사건을 때린다.

애초부터 살인을 목적으로 채팅으로 여성을 끌어들인 윤영철.

경찰의 한발 빠른 대처가 아니었다면 끝내 피해자가 발생했을 거라는 기사 내용에 온 국민이 분개하고 손가락질했다.

그러다 후속으로 이어진 기사에 멈칫했다.

한국 최초의 사이코패스?

범죄심리학자가 말하는 사이코패스란?

한국인으로선 생소한 병명, 사이코패스. 반사회적 인격장애.

반사회적 행동, 공감 능력과 죄책감 결여, 낮은 행동 통제력, 극단적인 자기중심성, 기만 등.

누가 봐도 정신병자다. 정신병자가 병을 못 이겨 범행을 저지른 거다.

이에 찬반 논란이 일었다.

정신병자니까 정신병원에 가둬야 한다.

아니다, 범죄를 저질렀으니 교도소에 넣어야 한다.

일반인뿐만 아니라 경찰, 검찰, 법원까지 뜨거운 논쟁을 이어 나갔다.

"부장판사님, 이 기사 보셨습니까?"

삼십대 젊은 판사가 내민 신문을 본 백순재는 피식 웃었다.

"내가 어떤 판결을 내릴지가 궁금한 거야?"

"아하하……. 죄송합니다."

저 멀리 고개만 내밀고 있다가 눈이 마주치자 얼른 숨는 다른 후배 판사들을 보니 다시 웃음이 터진다.

하지만 그것도 잠시다.

그는 곧 진지해졌다.

"흠. 나라면 징역을 때리겠지. 한 15년."

커피에 근육이완제를 타서 먹인 것도 모자라 중함마망치로 뒤통수를 내려쳤다. 명백한 살인 의도를 가졌으나 운이 좋아 피해자가 산 케이스다.

이런 범죄자에게 판사로서 내릴 수 있는 판결은 세상과의 격리다.

역지사지. 이런 놈은 교도소에 들어가 비슷한 꼴을 당해 봐야 후회를 할 놈이다.

"오히려 형량을 이것밖에 주지 못해서 좀 짜증 나지."

"어, 그러십니까?"

"왜? 공 프로는 정신병원이야?"

"예. 한 번 들어가면 나올 수 없는 곳이잖습니까."

"아니, 절대 나올 수 없는 곳은 아니지."

젊은 판사의 눈이 동그래진다.

"범행 대상을 끌어들이기 위해 몇 달 동안 다정한 남자친구를 연기했을 정도로 똑똑한 놈이야."

즉, 행동 통제력이 낮다고 해도 목적을 위해 참고 견딜 줄 안다는 거다.

"이런 놈이 몇 년 버티다 정상인인 것처럼 연기를 하면 어떨까? 무조건 나와."

"아……."

한국인에겐 생소한 단어지만, 외국에선 제법 흔한 단어인 사이코패스.

해외 판결문들을 공부한 백순재는 이들에 대해 잘 알았다. 사이코패스 범죄자들이 꼭 다시 범죄를 저지른다는 것도.

"그리고 무릇 판사라면, 이 나라의 헌법을 수호하는 판사라면 윤영철에게 어떤 판결을 내릴지가 아니라 다른 걸 주목해야지. 이것만 판결할 거야?"

"예?"

백순재는 기사의 한 대목을 가리켰다.

"온갖 혈흔들로 가득했던 화장실에서 동물의 종류와 숫자를 분리한 이거. 이 기술."

온갖 혈흔에서 DNA를 추출 및 분리했다.

화장실 천장에선 약 10년 전 죽인 병아리의 혈흔까지 발견했다.

DNA 증폭 기술까지 물이 올랐다는 소리다.

"엄청난 기술이지 않아? 분명 이 기술로 인해 과거의 사건들이 재조명되기 시작할 거야."

일감이 밀려오는 소리에 젊은 판사의 얼굴에서 혈액이 빠져나갔다.

"지금 쉬어 둬. 앞으로 이럴 시간은 없을 테니까."

툭툭.

백순재는 젊은 판사의 어깨를 두들긴 후 자신의 사무실로 발길을 향했다.

이내 자신의 사무실 안으로 들어온 그는 소파에 앉아 얼굴을 쓸어내렸다.

눈을 감은 그의 머릿속에 한 소녀의 얼굴이 스쳐 지나갔다.

18살, 꽃다웠던 여동생.

평택 그 작은 시골뿐만 아니라 세상에서 제일 귀엽고, 똑똑했던 여동생. 늦둥이라 딸처럼 예뻐했던 여동생.

"순영이. 우리 순영이."

아직도 선명히 떠오르는 늦둥이 막냇동생의 미소에, 논두렁에서 하얗고 파랗게 식어 버렸던 그 모습에 결국 눈물이 흘러내렸다.

-오빠!

명절날에만 찾아오는 오빠 따위가 뭐 그리 좋다고 밝게 부르던 여동생의 외침이, 옆에서 들려오는 것처럼 선명하게 들린다.

'내가 법관으로서 행실을 똑바로 했다면 살 수 있었을까.'

당시 선배 판사들의 명령에 부당하고 불의한 일을 눈감아야 했던 그에게 하늘이 내린 것 같았던 벌.

-순재야, 그놈 꼭 잡아야 한다. 제발, 제발 부탁한다.

가슴 깊숙이 남겨진 상처가 벌어져 다시 피를 울컥 토해 냈다.

그는 결국 전화기를 들었다.

"예, 서울 고법 백순재 부장판사입니다. 어제 부탁드린……."

-아, 판사님! 안 그래도 조사 결과가 나와서 연락드리려던 차였습니다!

철렁!

"저, 정말입니까?! 누굽니까! 어떤 자식입니까!"

세상에서 가장 소중했던 여동생을 처참하게 죽인 범인.

대한민국 모든 검경이 달라붙었어도 결국 놓쳐 버렸던 범인.

자신에게 힘이 있었다면 잡았을 거란 한을 남긴 범인.

—이범재라는 사람인데 지금 교도소에 있습니다.

“이범재? ……이범재!”

백순재는 벌떡 일어났다.

이범재. 기억에 있는 이름이다.

당시 옆 동네에 살았고, 네 번째로 유력했던 용의자.

몰라서 놓쳤다는 분노보다 눈물부터 울컥 솟았다. 이제야 여동생도 편히 눈 감을 수 있겠다는 생각에 하염없이 눈물이 쏟아졌다.

“감사합니다. 정말 감사합니다.”

—……너무 늦어서 죄송합니다.

“아, 아닙니다. 여러분의 노력이 아니었다면…… 크흐흑!”

—솔직히 말하자면 저희의 노력이 아닙니다.

“예?”

—판사님께서 부탁하신 문제를 해결할 수 있었던 DNA 기술이 한국에 유입될 수 있었던 건, 모두 경찰대 임성원 교수님과 최종혁 경위 이 두 사람 덕분입니다.

‘최종혁? 설마 그 최종혁 경위?’

백순재는 예상치 못한 인물의 이름이 거론되자 당황을 금치 못했다.

그러나 더욱 놀라운 이야기는 이 뒤에 이어졌다.

새로운 수사 기법을 창시해 세계 각국 유명 범죄심리학자나 연구소 수사기관 등이 매달리게 만든 두 사람.

그 두 사람에 의해 결국 미국의 DNA 증폭 및 분리, 추출 기술을 들여올 수 있었을 뿐만 아니라, 전국 교도소

수감자들의 DNA 데이터베이스까지 구축됐다는 사실은 도무지 믿기 힘든 이야기였다.

"허어……."

끊긴 전화기를 망연히 바라보던 백순재는 테이블 놓인 신문들을 멍하니 응시했다.

—윤 모 씨를 검거한 최 모 경위. 법의 엄중한 심판을 받길 바란다고 말해…….

백순재는 다시 신문을 살폈다.

교도소냐, 정신병원이냐로 싸우는 언론들.

그 사이에서 교도소행을 외치는 종혁.

분명 좋게 맺은 인연은 아니다.

호신용 방범벨 설명회에서도 그저 인사만 나누고 헤어지지 않았던가.

분명 종혁은 자신의 일을 한 것이지만, 아들이 큰 죄를 저지른 건 맞지만 그래도 좋게 생각할 순 없었다.

"하지만…… 이 빚은 갚아야겠지."

그는 전화기를 들었다.

2장. 특수범죄수사과

특수범죄수사과

"……윤영철에게 징역 15년 형을 선고한다."

땅땅땅!

무죄와 유죄.

앞으로의 인생이 판가름되기에 언제나 침묵을 강요받은 서늘한 공간, 법원.

오늘도 한 사람의 인생이 판가름되었다.

살인을 목적으로 여성을 채팅으로 꼬드겨 집 안으로 끌어들인 악마, 윤영철.

그는 살인미수 혐의로 징역 15년 형을 선고받게 됐다.

"뭐?"

윤영철은 다급히 아버지 윤경수 소장을 봤다.

방청석, 가장 가까운 자리에 앉아 있는 아버지.

"아니죠? 아니잖아요!"

윤경수는 넋이 나간 아들의 모습에 결국 눈을 감아 버렸다.

"이거 아니잖아! 나 빼 준다며! 나 정신병원에 입원시켜 준다면서요! 아버지! 아빠-!"

세상에서 가장 무섭지만, 가장 믿었던 아버지.

입 밖으로 뱉은 건 뭐든지 해냈던 아버지.

그래서 믿었다.

더럽고 못 배운 놈들이나 가는 교도소가 아니라, 정신병원에서 편히 지낼 거라고.

하지만…….

"뭐라고 말 좀 해 보라고! 날 좀 봐! 이럴 거면 날 왜 가뒀는데-! 가두지나 말지-! 그럼 벌써 죽여 봤을 건데-!"

"미친! 저, 저거 지금?"

땅땅땅!

"얼른 끌고 가세요!"

"씨발, 넌 뭐야-! 닥쳐!"

땅땅땅! 땅땅땅!

강요받던 침묵은 오늘도 인정할 수 없는 범법자의 발악에 시끄러워졌다.

방청석을 가득 채웠던 기자들 때문에 더.

"난데! 15년 형이야! 빨리 써서 올려!"

"갇혀 살지만 않았으면 벌써 사람을 죽였을 거다! 이 새끼가 한 말이야! 얼른 올려!"

"조용히 하세요! 조용히!"

혼란과 소란으로 가득한 공간.

눈을 뜬 윤경수는 끌려가는 아들의 모습을 가슴에 새겼다.

* * *

판결이 끝난 후 법원 밖.

기자들이 담배를 문 채 혀를 내둘렀다.

“사법부가 웬일이래?”

“내 말이.”

고작 17일.

윤영철이 경찰의 재치로 계획했던 범행을 저지르지 못하고 검거된 후 판결이 내려지기까지 걸린 시간이다.

박영일 기자는 옆에 선 종혁을 봤다.

“이번에도 너냐?”

예전부터 꼭 종혁이 얽혔다 하면 판결까지 가는 속도가 빨랐다.

한두 번이야 우연이라고 할 수 있지만, 그 이상이라면 절대 아니다.

“무슨. 저 그런 능력 없습니다.”

“얼씨구? 귀신을 속여, 이 자식아.”

“진짜예요.”

실제로 종혁 또한 놀라고 있었다.

윤경수 소장, 그리고 그에게 도움을 주는 국회의원의 압력을 무시할 수 있는 누군가가 힘을 쓴 것은 분명했다.

그러나 그게 누구인지 그 또한 알지 못했다.

"헛! 윤경수 소장이다!"

"윤경수 소장님!"

"종혁아, 나중에 보자!"

종혁은 기자들에게 둘러싸여 있는데도 여전히 꼿꼿한 윤경수를 빤히 바라보다 몸을 돌렸다.

아그작아그작.

법원의 주차장, 운전석에 앉아 아이스커피의 얼음을 씹어 먹던 종혁은 옆을 봤다.

똑똑똑.

그때, 육군 정복을 입은 군인이 차창을 두드렸다.

종혁은 차문을 열고 내렸다.

방금 전, 하나뿐인 아들을 교도소로 보내서 그런지 약간은 흐트러진 윤경수 소장이 무심한 눈으로 종혁을 바라보았다.

"군대와 사회가 얼마나 다른지 여실히 느꼈습니다. 언론의 힘이 무섭더군요."

사회에 만들어 놓은 모든 끈을 움직였다.

그러나 언론이 집중포화를 쏟아 내자 모두 등을 돌려 버렸다.

국회의원, 시의원, 기자, 휘하에 있다가 예편한 퇴역 군인들 등 가진 인맥을 모두 동원했지만 모두 쓸모가 없었다.

정말 겨우겨우 찬반 여론을 만들었지만 의미가 없었다.

'일개 경위가 판사까지 움직일 줄이야.'

겨우 경찰 경위의 인맥에 밀 려버린 거다.

오해였지만 윤경수는 그렇게 생각할 수밖에 없었다.

하지만 종혁의 생각은 좀 달랐다.

'솔직히 위험했지.'

첨예하게 대립했던 찬반 여론.

누구인지 모를 사람이 힘을 써 주지 않았다면, 사법부는 분명 사태의 추이를 관망했을 거다. 어느 한쪽의 손을 들어 주기엔 너무 뜨거운 감자였으니까.

그랬다면 윤경수 소장의 뜻대로 흘러갔을 거다.

'역시 힘 있는 판사가 필요해. 그리고…….'

종혁은 이번에 윤경수 소장 지인들의 힘을 막기 위해 너무나도 많은 패를 써 버리고 말았다.

이런 일이 반복된다면 권&박 홀딩스와 종혁의 관계가 들통날 수밖에 없게 된다.

'역시 제대로 된 정보팀도 필요하겠어.'

종혁은 한 번 더 생각을 다졌다.

"언론이라…… 항소하실 생각입니까?"

윤경수는 고개를 저었다.

"예편을 할 생각입니다."

종혁은 깜짝 놀랐다.

윤경수는 씁쓸히 웃었다.

"아들과 한 약속을 지키지 못했습니다. 매일같이 찾으며 사과할 생각입니다. 그 아이가 그릇된 선택을 하지 않도록.”

“대체 왜 그런 선택을…….”

사과를 한다고 윤영철이 받아 줄까.

아니다. 놈은 그럴 인간이 아니다.

매일같이 찾아오는 윤경수에게 원망을 쏟아 낼 거다.

제 잘못을 모르는 놈이니, 교도소 안에서 겪을 불합리한 일들마저 모두 윤경수의 탓으로 돌릴 거다.

윤경수는 그걸 각오한 것이었다.

“아직 결혼 안 하셨지요?”

“예…….”

“자식을 낳아 보면 이런 제 마음 이해하시게 될 겁니다. 그럼 나중에라도 만나지 말길 바랍니다. 세월이 흘러도 경위님과는 술잔을 기울이지 못할 것 같군요.”

고개를 숙인 윤경수 소장은 저 멀리 세워진 관용차를 향해 다가갔고, 종혁은 주차장을 나서는 그를 응시하다 담배를 물었다.

“씁쓸하네.”

이번 사건, 윤영철을 징치했다는 것만 빼면 씁쓸함만 가득한 사건이었다.

이전에 해결한 사건들과 달리 개운하지가 않았다.

“이젠 진짜 경찰 밥을 먹게 돼서 그런 걸지도…….”

회귀 전에도 이런 상황들은 참 많았다. 가족 한 명의 그릇된 결정에 의해 온 가족이 괴로워하는.

이제 앞으로 이런 사건들을 자주 만나게 될 거다.

다시 경찰이 됐으니까.

뚜벅, 뚜벅, 뚜벅.

고개를 돌린 종혁은 얼른 담배를 껐다.

백순재 부장판사가 다가오고 있었다.

"오랜만입니다, 경위님."

"예, 오랜만입니다. 그런데 여긴 어쩐 일로……."

"한국을 떠들썩하게 만든 사건이 어떻게 판결됐는지 구경을 좀 왔습니다. 그런데 늦었군요."

"그러셨습니까……."

"……."

"……."

"수현이는 3년 형을 선고받을 겁니다. 집행유예 없는."

"……힘든 결정을 하셨습니다."

종혁은 혀를 찼다.

사건의 경중에 비해 판결의 수위가 좀 낮지만 이 정도면 어느 정도 이해를 할 수 있다.

그러나 백순재가 마음에 걸린다. 방금 전 '자식을 낳아보면 알거다'라는 말을 들어서 더욱.

자식을 위해 어려운 선택을 한 윤경수 소장.

백순재도 편한 마음은 아닐 거다.

"원망은 안 하던가요?"

백순재는 씁쓸히 웃었다.

왜 원망을 안 하겠는가.

"그보다 알아보니 대단한 분이셨더군요. 생도 시절부

터 대단하셨다고요?"

종혁은 눈을 가늘게 떴다.

"그래서 하나 묻고 싶은 게 있습니다."

"어떤……."

"대체 왜 그런 선택을 한 겁니까."

일본에서 큰 사건을 해결했음에도 결국 과학기술 교류를 선택한 종혁.

"본인을 위해서라면 더 나은 선택지도 있었을 텐데요."

'거기까지도 조사한 건가. 뭐 다 알려진 사실이긴 하지만…….'

경계심이 들 수밖에 없다. 좋은 인연이 아니기 때문이다.

그러나 종혁은 당당했다.

"범죄자를 잡기 위해섭니다. 오늘도 미꾸라지처럼 빠져나가 거리를 당당히 활보할 그놈들을."

"역시……."

"음?"

"아닙니다. 그럼 앞으로도 이 나라의 치안을 부탁드립니다. 그럼."

돌아선 백순재의 얼굴엔 제법 상쾌한 미소가 걸렸다.

'이런 사람이라서 다행이군. 주목할 가치가 있겠어.'

종혁은 그렇게 멀어지는 그를 보다 대체 뭐냐며 머리를 벅벅 긁었다.

"정말 개운하지 않아."

종혁은 고개를 저으며 차에 올랐다.

* * *

'대체 왜! 씨발! 씨발!'

"조용히 해. 처맞기 싫으면."

교도관의 뒤를 따르던 윤영철이 그 위협에 이를 악물었다.

'너도 내가 죽여 버린다.'

그렇게 싸늘한 교도소 복도를 걷던 둘은 어느 방 앞에 멈췄다.

덜컹! 끼이익!

"신입이다."

윤영철은 헛숨을 삼켰다.

창문 같은 창살에 묶은 수건을 잡아당기는 거구의 문신 남자.

바닥에 앉아 책을 보다 고개만 돌려 이쪽을 보는 매서운 눈빛의 남자.

싱크대에서 설거지를 하는 안경 낀 사내 등.

7명의 시선이 모인다.

'앞으로 이딴 곳에서 이런 놈들과 함께 살아야 한다고?'

숨이 턱턱 막힌다. 앞으로 15년을 이곳에서 살아야 한다는 것에 눈앞이 아찔해진다.

"괜히 신고식 같은 거 해서 오밤중에 시끄럽게 굴지 말고. 야, 방장."

인적 사항이 적힌 서류를 문신 돼지에게 넘긴 교도관은

윤영철의 등을 떠밀곤 매정히 문을 닫았다.

끼이익! 쿵! 저벅 저벅.

"……갔습니다, 방장님."

"그려?"

문신 돼지가 몸을 편다.

"뭐허냐. 싸게 와서 인사 안 허고."

"후…… 나 사람 죽이려다 실패해서 왔거든? 나 건드리지 마. 그러다 죽어."

순간 분위기가 싸해진다.

그걸 겁먹었다는 걸로 착각한 윤영철은 가장 좋은 자리를 찾아 움직였다.

그때였다.

"푸하하하하핫!"

"크크크크큭!"

"이야, 오랜만에 또라이가 하나 들어왔네."

'무, 무슨?!'

윤영철은 당황했다.

문신 돼지는 싱크대를 봤다.

"야! 안경! 넌 뭐 때문에 들어왔다고 했냐잉?"

"헤헤. 망치로 뻭치기 하다가 들어왔습니다."

"얼마 전에 이감되어 오신 우리 아자씨는?"

"노모를 죽였습니다……."

윤영철의 얼굴이 딱딱하게 굳는다.

"들었냐잉? 그랑께……."

쩍!

'어?'

"눈에서 후까시 풀어, 이 씹새끼야."

그렇게 정신을 잃은 윤영철이 깨어난 건 한참의 시간이 흐른 후였다.

불 한 점 없이 깜깜한 공간에 당황한 그.

'대체 내가 왜?'

왜 목과 볼이 터질 듯 아픈지도 모르겠다.

그 순간 역겨운 구취가 확 풍겨 왔다.

"일어났냐잉? 그람 이제 시작해야제? 뭐혀, 엎어."

"흡!"

순간 누군가 뒤를 덮치더니 입에 수건을 쑤셔 넣고 담요를 덮는다.

그리고 그 위로 주먹과 발이 쏟아졌다.

퍽! 퍼억! 팍! 팍!

'읍! 으읍!'

"씨벌놈이 어디서. 내가 앞으로 예뻐해 줄랑께 기대혀. 넌 아주 좆같이 찍혀브렀응께."

윤영철.

그의 교도소 생활은 시작부터 꼬이게 됐다.

* * *

어느덧 무더위가 기승을 부린 여름도 다 가고 가을이

됐다.

열대야가 사라지며 욱해서 일어난 범죄도 급감하자 숨을 돌리게 된 홍익파출소에 슬픈 소식이 찾아들었다.

"정말 가시는 거예요?"

종혁은 눈물을 글썽이는 한승연을 봤다.

이제 어엿한 순경인 그녀.

그녀는 홍익파출소 잔류를 택했다.

종혁은 싱긋 웃었다.

"애초부터 갈 사람이었잖아."

"하지만……."

"나중에 현장에서 봐."

"……."

대답 없는 그녀의 어깨를 두드린 종혁은 최재수를 봤다.

한승연과 마찬가지로 잔류를 택한 그.

뺀질거리는 최재수도 오늘만큼은 입을 다문다.

"사고 치지 말고요."

"에이 씨."

키득키득 웃은 종혁은 장철호 소장이나 이경숙 경장 등 지금까지 함께했던 경찰들을 향해 거수경례를 했다.

"정말 많은 걸 배우고 갑니다. 앞으로도 치안의 최전방에서 이 나라의 치안을 지켜 주시길 부탁드리겠습니다. 충성!"

"……충성!"

"잘 가, 종혁 씨!"

"우리 여경들 우정 끈끈한 거 알지? 힘든 일 있으면 어디에 있든 언니들에게 부탁해 봐!"

아쉬움에 눈물을 찔끔하는 그들.

짧은 기간이었지만 너무 많은 일이 있어서 그런 것 같다.

씩 웃은 종혁은 잔을 높이 들었다.

"홍익파출소를!"

"……위하여!"

그들은 종혁과의 마지막 잔을 기울였다.

술자리는 깊어지지 못했다. 홍익파출소의 경찰들은 내일도 동네의 치안을 지켜야 하기 때문이다.

언젠가는 어디선가 또 만날 이들이기에 종혁은 아쉬움을 접고 집에 갈 준비를 했다.

찰칵! 치이익!

"후우우."

네온사인 불빛이 화려하게 부서지는 저녁.

모두가 떠난 자리 남겨진 종혁은 약간은 공허해진 가슴을 담배 연기로 채웠다.

아쉬움은 접었지만, 정든 사람들과 헤어지게 되니 발이 쉽게 떨어지지 않는다.

저벅저벅.

"야, 나도 담배."

떠났다가 다시 돌아온 오택수가 쪼그려 앉으며 손을 내밀었다.

얼마나 마신 건지 초점이 풀려 있다.

"좀 사서 피우라니까."

"시끄러워, 이 새끼야."

피식 웃은 종혁은 그의 입에 담배를 물려 줬다.

찰칵! 치이익!

둘은 잠시 말없이 지나는 사람을 응시했다.

"가서 자리 잡고 있어. 나도 금방 갈 테니까."

"얼른 오기나 하세요."

"재촉하지 마, 인마. 간다!"

"수고하셨습니다!"

손을 흔든 오택수는 인파 사이로 사라졌고, 그 모습을 빤히 바라보던 종혁은 다 편 담배를 쓰레기통에 버리며 발을 내디뎠다.

"자, 그럼 이제 나도 가 볼까?"

언제 칼이 들어오고, 피가 튀길지 모르는 강력 현장.

드디어 그 세상에 복귀를 한다.

그렇게 종혁의 파출소 순환 근무가 막을 내렸다.

* * *

투욱!

종혁의 앞으로 사진 한 장이 내밀어진다.

딱 봐도 범죄자상.

종혁은 이게 뭐냐는 듯 앞으로 함께할 상사를 쳐다봤다.

"잡아 와."

"누군데요?"
"몰라."
"죄목은요?"
"몰라. 그건 네가 이제부터 알아봐야지."
'씨불?'
종혁은 필사적으로 시선을 피하는 그를 보며 오늘 아침 있었던 일을 떠올렸다.

* * *

"흠. 오케이."
이십대 후반 박 순경은 오늘도 손가락을 대면 베여 버릴 것처럼 날이 선 근무복에 고개를 끄덕이며 관리소를 나섰다.
그러자 그의 눈에 거대한 건물이 들어온다.
경찰 본청.
수십만 경찰들의 정점이 있는 곳이며, 고르고 고른 엘리트들만 모아 놓은 곳.
"크으. 내가 이곳에 오다니!"
치솟는 전율에 몸을 떨던 그는 순간 아차 하며 관리소를 봤다.
저건 대체 뭘까 한심하게 쳐다보는 눈빛을 짓고 있는 사수.
"험험."

그는 뜨겁게 달아오른 얼굴로 본청 입구 왼쪽에 서 있는 경찰에게 다가갔다.

이 본청의 수문장인 그.

박 순경도 그런 수문장, 아니 입구 경비다.

하지만 박 순경은 결코 부끄럽지 않았다. 오히려 자부심이 넘쳤다.

'머슴을 해도 대갓집에서 하라고 했어!'

본청이다. 아무나 올 수 없는 본청.

그의 어깨가 빳빳하게 펴졌다.

"충성! 순경 박 동혁. 현재 시각 8시 55분. 근무 교대입니다."

"접수."

앞선 근무자가 있던 자리에 선 그는 순간 무너지는 입술을 겨우 추스렸다. 작은 단상 위에 올라서니 시야가 확 트였기 때문이다.

이게 그의 자부심을 자극했다.

"내 허락 없인 아무도 못 들어와."

본청을 찾는 사람은 딱 두 부류다.

경찰. 그리고 뒷배가 두둑한 강력 범죄자.

결코 아무 사건이나 맡지 않는 본청.

관할서에서 감당할 수 없는 사건 정도는 되어야 본청이 개입한다.

이런 범죄자는 입구에서 기를 죽여야 한다. 그게 자신의 역할이다.

박 순경은 정말로 그렇게 생각했다.

때마침 고가의 외제차 한 대가 이쪽을 향해 다가왔다.

경찰청장부터 국산차를 타기에 외제차라곤 민원밖에 없는 본청.

운전석엔 젊고 귀티나는 젊은 사람이 앉아 있다.

'흥! 부모 잘 만난 놈이군!'

일평생 부모 빽 믿고 잘산 놈들.

박 순경은 다급히 단상에서 내려와 손을 흔들었다.

"정지! 정지!"

끼긱! 지이잉!

짜증이 슬쩍 드러나는 얼굴.

박 순경은 속으로 코웃음을 쳤다.

"무슨 용무로 오셨습니까? 이곳 본청에 오시는 분들은 모두 저곳 출입 관리소에 찾은 용무를 기록……."

"발령받아 왔는데?"

"예? 무, 무슨……."

"자."

젊은 사내가 내미는 경찰공무원증을 보곤 침을 꿀꺽 삼켰다.

이름 최종혁. 계급은 경위.

'겨, 경위!'

그것도 나이가 무척이나 젊다. 웬만한 배경이 있지 않고는 불가능한 일이다.

그 웬만한 배경조차 박순경을 저기 섬의 파출소로 보내

기에 충분한 사람일 터.

“그런데 본청은 아무 사람이나 막아서나? 나 있을 땐 안 그랬는데?”

의아해하며 쳐다보는 종혁의 눈에 박순경은 하얗게 질렸다.

＊ ＊ ＊

뚜벅뚜벅!

최상층의 복도를 걸은 종혁이 한 사무실 앞에 멈춰 선다.

입구에서 작은 헤프닝이 있었지만, 본청에 복귀한 감동에 비하면 아무것도 아닌 일.

종혁은 커다란 나무문을 바라봤다.

“여길 다시 오게 됐네.”

경찰청장실.

수십만 경찰의 정점에 선 이가 있는 곳이다.

‘경찰서가 아니라 바로 본청행.’

원래라면 서울 어디든 경찰서로 발령받아 약 3개월을 일해야 됐다. 그런데 곧바로 본청으로 픽업됐다.

“염상철 사건과 윤영철 사건 때문이겠지.”

고등법원 부장판사를 아버지로 둔 백수현 사건도 있다.

경찰이 되자마자 고법 부장판사 아들을 검거하지 않나, 한 고등학교 1학년 전체를 잡아들이질 않나, 육군 소장까지 건드렸다.

종혁 본인이 최기룡이라도 불안해서 본청으로 불러들였을 거다.

"아니, 나라고 그럴 줄 알았나."

더욱이 마포경찰서장의 연락처 수첩에 최기룡의 반대파벌인 박종명 부산청장의 연락처가 적혀 있었다.

박종명 부산청장이야 그냥 밥 한 번 먹었을 뿐이라고 발뺌을 했지만 누가 믿을까.

'박종명 부산청장.'

종혁의 눈이 가늘어졌다.

그를 생각하니 백수현 사건 때 과잉 진압에 대한 기사가 나갈 뻔한 게 왜 떠오르는 걸까.

"쯧."

'부산 쪽으로는 얼씬조차 하지 말아야겠네.'

고개를 저은 종혁은 숨을 깊게 마시며 문을 두드렸다.

쿵쿵쿵!

"들어와."

종혁은 문을 활짝 열고 들어가 바로 차렷을 했다.

"충성! 경위 최종혁은……."

"이놈의 자식아-!"

종혁은 책상을 박차고 날아오르는 최기룡을 보며 흐뭇이 웃었다.

'이야, 연세답지 않게 날렵하시…….'

빠악!

“끄응.”

종혁은 방금 전 맞은 정수리를 매만졌다.

“아프냐?”

“캐릭터가 변하신 것 같습니다, 청장님.”

“시끄러워. 내가 너 때문에 얼마나…… 어휴. 앓느니 죽지.”

“흐흐. 죄송합니다.”

“죄송하기는 하냐?”

“…….”

최기룡 청장은 한 대 더 때릴까 하다가 관뒀다.

“오느라 수고했으니 목이나 축여. 그거 비싼 거다.”

고개를 끄덕인 종혁은 차가운 녹차를 한 모금 마셨다가 고개를 끄덕였다.

구수하면서도 씁쓸하게 입안을 채우지만 텁텁함은 없다. 고급 녹차를 제대로 우렸다.

최기룡은 차를 음미하는 종혁을 빤히 보다 풀썩 웃었다.

‘예쁜 놈.’

현재 전국 경찰들이 최기룡 본인에게 칭송을 보내오고 있다.

여경들의 지지는 압도적이다.

탈의실 분리부터 시작해, 일선 파출소의 고충을 많이 해결했기 때문이다.

탈의실이나 숙직실 성별 분리는 경찰서에서도 반기는 상황.

경찰 전용 메신저는 또 어떤가.

경찰 전용 메신저 도입은 최기룡의 첫째가는 업적 중 하나로 꼽힌다.

이 모두 종혁이 걸리는 게 있을 때마다 건의를 해 준 덕분이다.

이러니 예뻐하지 않을 수가 없다.

“본청에 온 소감은 어떠냐?”

“뭐…… 나쁘진 않네요.”

그렇게 말하는 종혁의 입가에 진한 미소가 피어오른다.

얼마나 다시 오고 싶었던 본청인가.

생도 신분이 아닌 진짜 경찰의 신분으로 온 본청이니 심장이 떨리지 않을 리 없다.

예상했던 답변이 아니지만 최기룡은 실망하지 않았다. 종혁의 미소와 금방이라도 튀어 나가려는 듯 들썩이는 엉덩이로도 충분했기 때문이다.

경찰 수사 예산 확대에 꼭 필요한 인물 종혁.

돈 걱정 없이 안전하고 확실한 수사를 하게 만들겠단 그의 의지에 가장 부합하는 종혁.

하지만 이용하려 들어선 안 된다.

‘풀어놓으면 알아서 해 줄 놈.’

최기룡 본인의 역할은 혹여 큰 파도가 들이닥칠 때 보호해 주는 것뿐. 그렇게 종혁과 미래의 경찰 모습을 그려가면 되는 거다.

“그럼 이제 진짜 현장에서 일할 준비가 됐지?”

최기룡의 표정이 돌변하자 종혁의 입술도 비틀렸다.
“어느 과로 가면 됩니까?”
“그건…….”
이어진 말에 종혁은 눈을 동그랗게 떴다.

* * *

이게 방금 전 있었던 일이다.
종혁은 시선을 필사적으로 피하는 앞으로 함께할 상사, 김종두 과장을 일견하며 특수범죄수사과의 다른 형사들을 봤다.
특정 부서를 지정하지 않고 그저 본청으로 발령을 냈던 최기룡 청장. 그가 택한 곳은 특수범죄수사과였다.
그 권한이 광역수사대와 동급, 아니 다루는 범죄에 한계가 없기에 그 이상 가는 특수범죄수사과.
그렇기에 최기룡 청장의 계획에 딱인 부서다.
이런 속내를 짐작하지 못한 종혁으로선 편히 지내던 삼촌들과 정식으로 함께할 수 있다는 것에 얼마나 기뻤는지 몰랐다.
예상보다 훨씬 빨리 본청에 왔기에 정말 기뻤다.
그런데.
후다닥!
“어! 그래? 거기 있다고?”
“칠성아, 그놈 떴단다! 나가자!”

"예!"

눈이 마주치자마자 전화기를 들거나 다급히 뛰쳐나가는 그들.

종혁은 얼굴을 와락 구긴 채 김종두 과장을 노려봤다.

"지금 신고식 하는 거예요? 저한테? 와, 내가 얼마나 잘해 줬는데!"

이건 배신이었다.

"어흠흠. 나흘이면 되지?"

"……에라이."

종혁은 두고 보자는 눈빛을 보내며 사진을 챙겼다.

서운하지만 기존 형사들이 신입 형사의 능력을 알아보고자 하는 테스트다.

회귀 전 종혁은 이와 똑같은 신고식을 당한 적 있다.

다만 당시엔 순경에서 픽업이 된 거라서 어쩔 수 없었다지만 지금은 아니었다.

하지만 첫날부터 부서장의 명령을 거부하는 건 모양새가 좋지 않았기에 종혁은 순순히 물러나기로 했다.

그렇게 본청 건물을 빠져나온 종혁은 다시 사진을 꺼내 들었다.

이름 불명.

나이 불명.

심지어 전과마저 불명이다.

이래선 흥신소를 이용하는 것도 힘들다.

"대충 나이는 사십대로 보이지만…… 하, 이놈을 어디

서 잡아야 하냐."

인구 천만이 사는 서울.

눈앞이 깜깜해졌다.

지이잉! 지이잉!

"응?"

발신자를 확인한 종혁은 얼른 전화를 받았다.

–종혁아!

친구 수호다. 아무래도 휴가를 나온 것 같았다.

피식.

종혁은 일단 차에 올랐다.

* * *

천장에서 차가운 물이 뚝뚝 떨어지는 공간.

"어으으."

수호가 뜨거운 욕탕에 몸을 담근 채 괴상한 소리를 낸다.

술보다 사우나를 택한 수호.

종혁은 새까맣게 탄 수호를 보며 혀를 찼다.

"짜리몽땅 분필이 짜리몽땅 샤프심이 됐네."

"죽엇! 켁?!"

풍덩!

몸을 날리지만 얼굴이 붙잡혀 욕탕에 처박힌 수호.

허우적거리다가 고개를 들고 종혁을 죽일 듯 노려본다.

종혁은 가슴을 쭉 펴며 뭐? 쳐다봤다.

수호는 물에 잠긴 종혁의 아랫도리를 보고 이를 갈았다.

이젠 알고 있다.

남자의 자존심이 어디서 나오는지.

"……나쁜 놈."

"크큭. 일병이지?"

"……일병이지."

"이야, 국방부 시계도 가긴 가는구나."

"시끄러워. 남은 앞이 안 보여서 죽겠구만……."

지긋지긋한 이병을 벗어나 작대기 하나를 더 달았지만, 내무반에선 여전히 막내다.

"근데 정말 본청에 간 거야?"

"어. 오늘부터 출근."

"크-. 드디어 소원대로 됐네. 최 형사!"

"푸흐흐."

친구에게 들으니 왠지 더 듣기가 좋은 형사란 소리.

그에 종혁은 답을 해 줬다.

"고마워, 박 군바리."

"아, 그냥 죽으라고-!"

그렇게 투닥거리던 둘은 때밀이 아저씨에게 때를 시원하게 민 후 탈의실로 나왔다.

꿀꺽꿀꺽!

"캬으!"

"어흐!"

목욕 후엔 바나나우유가 진리.

다만 종혁은 솔잎 음료였다.

팬티만 입은 그들은 평상에 앉아 잠시 퍼졌다.

"오늘 어떻게 할 거야. 멤버들 불러?"

소영과 이리나.

"현석이랑 현희는 이번 주말에나 볼 수 있지?"

"그렇……."

딸랑!

"짭새가 날아든다. 웬갖 짭새가 날아든다."

가을인데도 반팔 쫄티에 팔뚝에 문신을 한 멸치 한 마리가 일수가방을 든 채 움칫움칫 박자를 타면서 들어온다.

대답을 하다 멈춘 종혁은 저건 뭐하는 놈일까 쳐다봤고, 수호는 넌 죽었다 고개를 저었다.

"수호야, 잘 봐. 사람이 나이 먹고도 철이 안 들지? 그러면 저런 상븅신이 되는 거야."

"야, 설마 내가 저런……."

"어이, 꼬맹이들! 그거 지금 나한테 하는 소리……."

얼굴을 와락 구긴 멸치, 아니 삼십대 사내는 일어서는 종혁을 보고 입을 다물었다.

종혁은 손가락을 까딱였다.

"왜, 왜?"

"씁!"

사내는 주춤주춤 다가왔다.

"이름."

"그, 그건 왜 묻는데?"

"하아. 야, 세상에 너 같은 놈의 이름을 알고 싶은 사람은 딱 두 부류야. 하나는 그냥 네가 싫은 달건이. 그럼 나머지 하나는 누굴까?"

"아! 짜바리……."

빡!

정강이를 얻어맞은 사내는 펄쩍펄쩍 뛰었다.

"존칭."

"혀, 형사님이십니다."

"잘 아네. 그럼 내가 왜 너에 대해 궁금해는지도 알겠지?"

사내는 울상이 됐다.

"아니, 형사님. 저 진짜 착하게 살……."

"확 씨."

사내는 입술을 내밀며 주민등록증을 내밀었고, 싹 외운 종혁은 다시 돌려줬다.

"앞으로 착하게 살아. 이 동네에서 뭔 일 터졌다 하면 다 너라고 생각할 테니까."

"아니, 그건 억울하죠! 저 말고도 범죄를 저지를 놈들이 얼마나 많은데요! 제가 아는 놈들만……."

"대답 안 하지?"

"……예."

"가 봐."

"안녕히 계십쇼!"

고개를 꾸벅 숙인 사내는 목욕탕 입구를 빠져나갔고, 종혁은 저런 병신 하며 혀를 찼다.

그러다 멈칫 몸을 굳혔다.

방금 전 사내가 한 말 때문이다.

"아는 놈들이라……."

종혁은 머리를 긁으며 어이없다는 듯 웃었다.

"그랬네. 내가 너무 깊게 생각했네. 저렇게 의리 없이 불어 줄 놈들이 많은데 말이야."

아무래도 생각지도 못했던 신고식이라고 머리가 굳었던 것 같다. 이전까지 능동적으로 움직인 상황이 별로 없어서 잠시 잊었던 거다.

형사에겐 형사의 수사법이 따로 있는데 말이다.

정말 답이 안 나오면 맨땅에 헤딩부터 해 보는 게 형사의 수사법.

'이제 나도 정말 형사가 됐구나.'

새삼 깨달은 종혁은 피식 웃었다.

그는 캐비닛을 열고 핸드폰을 꺼내 들었다.

"예, 종 사장님. 납니다. 사람 하나 좀 수배합시다."

답이 없으면 맨땅에 헤딩부터 해 보는 게 형사라지만, 발로 뛰는 게 형사라지만, 스포츠카를 타고 달려도 형사는 형사다.

전화를 끊은 종혁은 의아해하는 수호를 봤다.

수호 때문에 사우나에 오지 않았다면 몇 시간 후에나 떠올렸을 일. 역시 친구가 좋았다.

"저녁에 부모님들과 다 같이 소고기, 콜?"

"콜!"

* * *

달이 하늘 높이 떠오른 새벽.

경기도의 한 불 꺼진 지하 다방.

지하로 향한 계단을 누군가 내려간다.

뚜벅, 뚜벅, 뚜벅!

센서등조차 켜지지 않는 어두운 계단을 핸드폰 플래시에 의지한 채 내려온 그림자가 유리문을 잡아당긴다.

불이 꺼져 있음에도 쉽게 열리는 문.

"드르렁!"

멀리서 우렁찬 코골이 소리가 들려온다.

그림자, 종혁은 플래시에 의지한 채 소리가 들리는 곳으로 향했다.

소파에 구겨 자고 있는 사내.

종혁은 사진과 그의 얼굴을 비교해 봤다.

맞았다.

종혁은 피식 웃었다.

"이게 300만 원짜리란 말이지?"

이름 강병훈. 나이 41세.

절도 및 여타 전과 8범이며, 최고 피해액은 겨우 534만 원일 뿐인 잡범. 소위 말해 개털.

현재 폭행으로 수배 중.

그리고 현재 위치를 고작 300만 원에 팔린 인망 없는 놈이다.

"어음, 치워……."

플래시가 눈부신지 몸을 돌리는 사내.

종혁은 어이없다는 듯 웃으며 그를 흔들었다.

"야, 일어나 봐. 일어나 보세요, 선생님."

"으음, 뭐야…… 누구야……."

"누구긴 누구야, 짭새지."

"……뭣?!"

종혁은 다급히 일어나는 사내를 향해 싱긋 웃어 주며 주먹을 들었다.

"안녕?"

쩌어억!

* * *

첫날 사진을 들고 나간 종혁이 복귀하지 않은 지 사흘째다.

"야, 며칠 예상하냐?"

"종혁이요? ……일주일?"

"그렇게 빨리?"

"전 이주일 예상합니다!"

"그래도 종혁이 코가 있는데. 전 8일 봅니다!"

김종두 과장이 종혁에겐 준 시간은 나흘.

특수범죄수사과의 모든 형사들은 그 나흘 안에 종혁이

복귀하는 건 불가능하다고 여겼다.

그 어떤 정보도 없이 사진만 가지고 나흘 만에 범인을 찾는다?

그건 이 중 반 이상이 불가능한 일이다.

정보원이 많아도 최소 5일.

이름 등을 알아내는 데 이틀이고, 현재 잠수 타고 있는 위치를 아는 데까지 남은 3일. 그래서 5일이다.

김종두도 그들과 비슷한 생각이다.

그럼에도 4일의 리미트를 준 이유는 생도가 되기 전부터 여러 사건을 해결한 종혁에게 진짜 형사 일이 맘처럼 쉽지 않다는 걸 알려 주기 위해서다.

그동안 많은 돈을 바탕으로 기가 막힌 수법을 이용해 범인을 잡은 종혁. 아마 지금쯤 본인이 마음만 먹으면 세상 모든 범죄자를 잡을 수 있다고 자만하고 있을지도 모른다.

물론 대범하면서도 치밀한 종혁이 그럴 리 없겠지만…….

'혹시라도 방심했다가는 칼 맞는 거지.'

아침에 웃으며 나간 동료가 저녁엔 영안실에 있는 살벌한 세상에서 살아가는 게 그들 형사다.

여태껏 승승장구 해 왔기에 한 번쯤은 눌러 줄 필요가 있었다.

"자, 그럼 돈 걷겠습니다! 가장 가까이 맞춘 사람이 다 먹고 종혁이 환영회 쏘는…… 아니, 절반 내는 겁니다!"

부자라서가 아니라, 먹는 양 탓에 회식의 사이즈가 다른 종혁.

설령 맞춰서 전부 갖는다고 해도 전부는 무리였고, 절반이면 해 볼 만했다.

"8일에 3만 원!"

"2주일에 5만 원!"

"9일에 4만 원!"

"나도 8일! 7만 원!"

돈은 순식간에 모였다.

모두의 시선이 참가하지 않은 김종두를 향했다.

"……6일. 30만 원."

"오오오오!"

"과장님 돈으로 회식하는 건가?!"

"잘 먹겠습니다!"

형사들이 설레발을 쳤지만, 김종두는 속으로 코웃음을 쳤다.

'짜식들이 그렇게 종혁이를 겪어 놓고도 모르나?'

분명 종혁은 돈을 썼을 거다.

그리고 그 돈은 많은 정보원을 대신하기에 충분했다.

리미트인 4일 안에는 불가능해도, 6일 정도면 충분할 터였다.

'썩을 놈이 연락을 할 것이지. ……부디 다치지만 마라.'

종혁의 실력은 알지만 여차하면 다치는 곳이 이 바닥이다. 그래도 종혁을 혼자 보냈던 건 강병훈이 잡범 중에 잡범이기 때문이다.

고개를 저은 김종두는 담배를 물며 서류를 봤다.

그 순간이었다.

덜컹!

문이 열리는 소리에 고개를 든 형사들이 순간 딱딱하게 굳었다.

지금 저 문을 열면 안 되는 사람이 들어오고 있었다. 그것도 얼굴에 시퍼런 멍을 단 그놈을 데리고.

"최종혁, 사흘! 100만 원!"

김종두는 해맑게 웃는 종혁을 보며 입에 문 담배를 떨어트렸다.

* * *

"맛있게 드세요!"

"잘 먹을게!"

"우리 특수에 온 걸 환영한다!"

방금까지 수족관 안에서 힘차게 움직이던 복어가 종잇장처럼 얇게 포 떠져 입안에서 사르르 녹는다.

그 진한 맛에 수십 명의 형사들이 몸을 부르르 떨고, 사장님은 매출이 오르는 소리에 행복에 젖는다.

"와, 복어가 이런 맛이구나."

"국물 먹어 봐. 죽여. 싸장님! 여기 이슬이 추가요!"

절로 소주를 부르는 맛, 복어.

그들은 종혁이 한 식구가 됐음을 새삼 깨닫게 되었다.

그런데…….

"섭섭하다, 종혁아."

"나도."

종혁의 맞은편에 앉은 두 오십대 장년인이 표하는 서운함에 김종두의 얼굴이 와락 구겨진다.

"광수대! 마약! 너희 아직도 포기 안 했냐?"

그랬다.

오늘 축하 자리엔 특수범죄수사과 말고도 광역수사대와 마약수사대의 형사들도 함께하고 있었다.

종혁이 본청에 왔단 소식에 꼽사리 낀 거다.

"얻어먹으러 왔으면 입 좀 닫지?"

화가 잔뜩 서려 있는 김종두를 빤히 보던 두 사람은 종혁에게 시선을 돌렸다. 수배범 사진을 들고 나갔다가 단 3일 만에 수배범과 함께 복귀한 종혁.

다른 신입 형사들과 격이 달랐다.

"종혁아, 지금이라도 턴 하는 게 어때? 우리 광수대 사건 많다. 지금 파고 있는 사건만 해도…… 어휴. 내가 기밀만 아니면……."

"연예인 마약 어때? 관심 확 오지? 어?"

"이 자식들이 그래도!"

종혁은 아웅다웅 다투는 그들을 향해 소주병을 기울였다.

"한 잔씩들 받아 주세요."

"……그래. 특수에서 3개월만 짧게 하고 광수대로 와."

"그다음엔 마약으로 와. 그때까지 연예인 마약 스톱시킨다. 아직 연예인 손목에 수갑 안 채워 봤지?"

"가! 가, 이 시키들아!"
"아, 거! 좀 나눠 씁시다!"
"순환 근무 기간 한참 남았잖아요!"
"내가 니들 속셈 모를 것 같냐! 그렇게 데려가서 말뚝 박게 만들 생각이잖아!"
"그럼 좋고!"
"야, 이-! 억?!"
키득키득 웃은 종혁은 아쉽다는 듯 고개를 저었다.
"죄송해요. 인사 권한은 청장님 소관이라서."
"아, 청장님 조르면 되는 거야? 오케이. 기다려."
"나도 간다. 잘 마셨다."
"가긴 어딜 가-!"
고개를 저은 종혁은 특수범죄수사과의 넘버2 앞에 앉았다.
"욕봤다. 저 양반들은 낼 모레가 환갑이면서 아직도 저러니…… 어휴."
"수고하십니다. 음식은 입에 좀 맞으세요?"
"그래서 큰일이야. 형사 입이 이렇게 고급스러워지면 안 좋은데……."
그렇게 말하면서도 젓가락은 연신 복어의 살점을 집어 입으로 나른다.
누구 한 명 싫어하는 사람 없으니 종혁으로선 기분이 좋았다.
"아, 그런데 전 누구랑 파트너예요?"

경찰은 무조건 2인 1조가 기본.

결코 혼자 다니는 형사는 없다.

"아, 그거? 과장님."

"왜요?"

종혁의 입에선 반사적으로 그 말이 튀어나왔다.

"조, 종혁아?"

"푸하하핫……!"

"끅끅끅!"

종혁은 슬그머니 고개를 돌렸다.

김종두 과장. 참 좋은 삼촌이고 좋은 형사다.

하지만 잔소리꾼이다.

당연히 이걸 말할 순 없는데, 김종두는 이미 눈치를 챈 것 같았다.

'쳇. 이래서 베테랑 형사는 눈치 빨라서 싫다니까.'

"종혁아, 그거 무슨 말이니?"

"어흠. 과장이시잖아요. 과의 업무를 관리, 감독을 하시느라 바쁘신 과장님께서 어떻게 일개 형사랑 현장을……."

"그거 아니잖아, 인마!"

"사랑합니다!"

"어디 가! 이리 와!"

"푸하하하하핫!"

그렇게 종혁의 환영회는 무르익어 갔다.

"어으. 잘 먹었다.

"2차 가야지, 2차!"

"잘 먹었다, 종혁아!"

안주가 좋아서 그런지 모두의 낯빛이 불콰하게 달아올라 있다.

심지어 눈의 초점이 풀린 형사도 있다.

"그래서…… 우리 종혁이, 첫 사건은 뭐로 할래?"

웃고 떠들다 보니 어느새 마음이 풀린 김종두가 어깨동무를 해 온다.

그에 종혁의 눈이 빛나고, 신발을 신던 형사들도 귀를 기울인다.

첫 사건. 신고식을 무사히 마친 신입 형사는 원하는 사건을 택해 수사를 할 수가 있는데, 이때 같은 팀 형사들은 그가 사건에 집중할 수 있도록 배려를 해 준다.

미제 사건이건, 수배가 떨어진 사건이건 형사로서 처음 맡는 사건이기에 꽤 중요하게 여겨진다.

실제로 첫 사건을 장기미제 사건으로 택해 평생의 과업으로 여기는 형사도 더러 있을 정도고, 첫 사건을 원활하게 해결하면 승진도 원활하게 이뤄진다는 미신마저 있을 정도다.

어떤 형사들은 첫 사건을 해결해야 한 사람 몫을 하는 형사로 인정을 하기도 한다.

그만큼 의미가 있는 의식이다 보니 종혁도 오늘 하루 특수범죄수사과의 캐비닛에 잠들어 있는 사건들을 쭉 살펴봤었다.

"글쎄요……."

종혁은 난색을 표했다.

딱히 마음에 드는 사건이 없는 게 아니라 너무 많아서다.

하나하나가 피해자에겐 목숨보다 중요한 사건들. 지금도 마음을 졸이고 있을 그들을 생각하면 선뜻 하나를 택할 수가 없었다.

형사들은 심각하게 고민을 하는 종혁을 보며 흐뭇해했다.

사건을 실적이 아니라 피해자의 입장에서 생각하는 종혁의 마음이 참 기특했기 때문이다.

-다음 뉴스입니다. 전국에 만두를 제작 납품하는 한 식품업체가…….

라디오에서 흘러나오는 뉴스 소식에 종혁을 비롯한 형사들의 시선이 일제히 돌아갔다.

그에 한순간 시선이 집중되자 라디오를 듣고 있던 사장님은 화들짝 놀라며 황급히 라디오 전원을 껐다.

"아이구, 죄송합니다. 맛있게 드셨어요? 부족하진 않으시고요?"

"부족하긴요. 배부르게 아주 잘 먹었습니다! 이러다 단골 되겠어요."

"저야 그럼 좋죠! 그럼 계산은 어느 분께서……."

"종혁아, 계산서 좀…… 종혁아?"

그제야 라디오를 응시하던 종혁의 시선이 거둬진다.

"과장님."
어느새 차가워진 종혁의 눈빛.
"저걸로 하겠습니다."
"응?"
"제 첫 사건이요."
"……?!"
모두가 놀라 종혁을 바라봤지만, 종혁은 그 시선을 느끼지 못했다.
'그래, 이제 기억나네. 쓰레기 만두 파동.'
언론의 잘못된 보도로 인해 많은 이들이 피해를 겪은 참혹한 사건.
경찰과 정부의 위신은 똥통에 처박혔고, 이 보도로 인해 결국 사망자마저 발생한다.
그들을 구해야 했다.
종혁의 눈이 불타오르기 시작했다.

* * *

정부의 감시 소홀.
국민의 입에 쓰레기가 들어갈 때까지 정부는 뭘 하고 있었나.

언론에서 작정하고 때리고 있다.
이에 정부는 다급히 특별수사대책본부를 조직하라 명

을 내렸는데, 종혁과 김종두 과장이 한발 먼저 움직이고 있었다.

부우우웅!

고속도로를 빠르게 달리는 차 안.

김종두 과장이 핸즈프리에 대고 강하게 외치고 있다.

"2차 목록 보냈다고?"

이번 사태의 중심인 최고식품.

최고식품은 만두 체인점이나 전국 분식점뿐만 아니라 지방의 식품업체에도 식재료를 납품했는데, 김종두가 말하는 목록이 바로 최고식품에게 식재료를 납품받은 업체들 목록이었다.

-네! 과장님 메일로 보냈습니다!

"알았어! 더 조사되는 대로 바로바로 보내 줘!"

-예! 그런데 언제 올라오실 건데요?

"몰라! 그건 종혁이 마음이지! 끊는다!"

통화를 종료한 김종두는 종혁을 쳐다봤다.

"의도가 뭐냐?"

이번 사건의 중심은 어디까지나 최고식품이다.

그런데 종혁은 최고식품을 살피는 건 다른 형사들에게 맡긴 후, 그 자신은 최고식품에게 식재료를 납품받은 지방의 업체들부터 살피러 움직이고 있었다.

"최고식품에게 식재료를 납품받았다는 증거를 확보해야 하니까요."

"그걸 왜 벌써……."

말을 잇던 김종두의 표정이 딱딱하게 굳었다.

"설마, 너 최고식품이 정말 쓰레기를 썼다고 생각하는 거냐?"

언론에서는 이미 최고식품이 납품하는 식재료에 문제가 있다며 알리고 있었지만, 실제로는 아직 제대로 된 조사조차 이루어지지 않아 확실한 거라곤 아무것도 없는 상황.

김종두는 종혁이 그럴 리가 없다고 생각하면서도, 혹시나 그가 섣불리 확신을 갖는 건 아닐까 우려했다.

"걱정하시는 그런 거 아니에요. 우리 일은 항상 만약도 대비해야 하잖아요."

만약 최고식품의 식재료에 정말 문제가 있는 것으로 밝혀진다면, 최고식품에게 납품을 받던 업체들은 너도나도 그 증거를 인멸하려 들 터였다.

종혁은 그것을 염려하여 미리 증거를 확보하는 거라 말하는 것이었다.

"하긴, 네가 그럴 리가 없지."

김종두는 납득하곤 고개를 끄덕였다.

종혁은 그 모습을 보며 내심 쓴웃음을 지었다.

'억울한 일은 만들면 안 되니까.'

이번 사건의 시발점은 최고식품이 납품하는 식재료에 사용되는 한 재료로, 언론에서는 그 재료가 폐기되었어야 할 유해한 것이라 알리고 있었다.

그러나 종혁이 기억하는 바에 따르면 그것은 사실이 아

니었다. 이야기가 왜곡되고, 자극적으로 포장된 잘못된 정보였다.

이로 인해 억울한 피해자가 발생하는 것만큼은 반드시 막아야 했다.

그 때문에 종혁은 일을 확실히 하기 위해 최고식품에게 식재료를 납품받은 업체들을 전부 체크하기 위해 목록을 받은 것이다.

죄가 있는 이들과 무고한 이들을 확실히 나누기 위해.

"지금쯤 도착하셨으려나?"

문득 무언가를 떠올린 종혁은 전화를 걸었다.

"저예요, 종혁이. 지금 최고식품 도착하셨어요?"

―어, 지금 막 도착했다. 무슨 일이야.

"최고식품 살피실 때 정문부터 제조 공장까지 모두 캠코더로 찍어 주세요! 구석구석 한 곳도 빠짐없이!"

이미 대중들에게는 최고식품의 식재료가 쓰레기로 낙인찍혀 있었다.

이런 인식을 뒤집기 위해선 사소한 것이라도 긁어모아야만 했다.

―이놈의 자식이! 삼촌들 똥개 훈련…….

"서울 복귀하면 참치 쏩니다!"

―똥개 훈련 좋아하는지 어떻게 알고. 급할 거 없으니까 느긋이 돌다가 조심히 올라와.

쓰레기 만두 파동.

이 사건의 쟁점은 최고식품의 무죄유죄가 아니라, 경찰

과 언론의 잘못된 대응이었다.

'싸지르면 그만인 기레기 새끼들.'

아님 말고라는 무책임한 생각 때문에 회귀 전 얼마나 많은 피해자가 고통을 겪었던가.

이런 놈들은 초장에 잡아 일벌백계를 해야 된다.

그러기 위해선 날것 그대로의 팩트가 필요하다.

그게 종혁의 생각이었다.

3장. 진실은 무엇인가

진실은 무엇인가

충청도의 한 지방, 어느 식품업체의 전화벨이 시끄럽게 울린다.

띠리링! 띠리링!

"아니요! 저희가 그 업체의 식재료를 쓴 것 맞지만, 아직 확실한 건…… 사장님! 사장님-!"

"갑자기 취소라뇨! 저희 만두는 정말로 안전…… 사장님!"

불이 나는 전화들과 진땀을 빼는 직원들.

그런 그들을 바라보는 사십대의 젊은 사장 봉만덕은 허탈하게 웃었다.

무려 10년이다.

아무것도 없이 시작해 맨땅에 헤딩을 해 가며 여기까지 키우는 데 걸린 세월이. 정말 맛있는 만두를 만들겠다는 일념으로 시작해 열정을 바친 세월이.

그런데 그게 이렇게 허무하게 무너지고 있다.

머릿속이 하얗게 탈색된 그는 사무실을 빠져나와 비척비척 걸었다.

"이러다 망하는 거 아녀?"

"설마."

"아, 아줌니, 저기……."

"헙!"

하얀 비닐 옷에 장화 옷, 머리에 하얀 캡까지 쓴 채 불안에 떠는 직원들.

평소라면 위생복 차림으로 공장 밖으로 나오지 말라고 크게 호통을 쳤겠지만, 지금 그의 눈엔 아무것도 들어오지 않았다.

그렇게 걷던 그의 발길이 멈춘 건 커다란 냉동창고 앞이었다.

드르륵!

싸늘한 냉기가 뿜어지는 창고 안에 쌓인 노란 박스들.

일주일 안에 출하되어야 하는 만두 6만여 개를 응시하는 사장의 눈동자가 바람 앞 등불처럼 흔들린다.

폐기하는 건 문제가 아니다.

그로써 발생할 수천만 원의 손해도 감당 못할 수준의 문제는 아니다.

진짜 문제는 이 태풍이 지나간 후다.

어찌어찌 이 재난을 견딘다고 해도…….

"다시 재기할 수 있을까?"

그 누가 이런 의혹이 있는 회사와 거래를 해 줄까.

봉만덕 그라도 안 할 거다.

즉, 이제 끝인 거다.

계속 키워 왔던 꿈도, 바쳤던 열정도, 품었던 희망도. 모두.

"흐흐흐."

지금까지 자신을 믿고 따라온 직원들을 볼 면목이 없었다.

눈물과 함께 웃음을 흘리던 그는 이 회사를 설립한 이후 처음으로 공장 안에서 담배를 물었다.

"사장님! 사장님-!"

"스흐읍! 큼. 무슨 일입니까."

달려온 직원은 난생처음 보는 봉만덕의 엉망진창인 얼굴에 울컥했지만 이내 이를 악물었다.

지금 이게 중요한 게 아니었다.

"서, 서울에서 형사님들이 오셨어요!"

"……형사?"

"이놈이 아주 과장을 부려 먹네, 부려 먹어. 내가 이번만 봐주는 줄 알아!"

혀를 찬 김종두 과장이 캠코더를 들고 나가자 종혁은 봉만덕에게 손을 내밀었다.

"연락도 없이 갑자기 찾아뵙게 되어 죄송합니다. 대한민국 경찰청 특수범죄수사과의 최종혁 경위입니다."

"……반갑습니다. 명춘식품의 사장 봉만덕입니다."

일찍이 돌아가신 아버지의 성함을 따서 지은 이름 명춘식품.

"최고식품에서 납품받은 식재료로 만든 만두를 가지러 오셨습니까? 저기 냉동창고에 다 있으니 마음껏 가져가십시오. 아, 거래 업체 목록도 필요하시죠? 박 대리! 우리랑 거래한 업체 목록 좀 뽑아 와요!"

너무도 협조적인 그의 모습.

그래서 종혁은 섬뜩했다.

'위험하군.'

더 이상 희망이 없는 공허한 눈.

모든 걸 포기한 사람의 눈빛이다.

'조금만 더 지체했으면 큰일 날 뻔했어.'

이 사람이다.

회귀 전 쓰레기 만두 파동 때 가장 첫 번째로 하지 말아야 할 선택을 하는 인물, 봉만덕 사장.

죄라고는 거래처를 믿은 것밖에 없는 선량한 피해자.

무조건 살려야 한다.

종혁은 일단 푸근히 웃었다.

"이렇게 협조해 주시니 정말 감사합니다."

"아닙니다. 뭐……."

'이제 다 필요 없으니까.'

다시 섬뜩함을 느낀 종혁은 더 환하게 웃었다.

"그럼 이왕 협조해 주신 김에 조금만 더 협조해 주실 수 있을까요?"

종혁이 안주머니에서 수첩과 녹음기를 꺼내자, 어떤 협조인지 알아차린 봉만덕은 고개를 끄덕였다.

"감사합니다. 그럼 지금부터 하시는 모든 말은 법적인 효력을 가집니다. 인정하십니까?"

"……예."

"봉만덕 사장님."

봉만덕은 종혁을 봤다.

"정말 잘 생각하시고 대답하셔야 합니다. 인정하십니까?"

묵직하면서도 진지한 눈빛.

모든 게 귀찮고 포기하고 싶은 마음을 꿰뚫는 듯한 얼음송곳 같은 눈빛에 봉만덕은 잠시 정신을 차렸다.

"예."

작지만 또렷한 대답에 종혁은 만족스러워했다.

"그럼 시작하겠습니다. 봉만덕 사장님께선 어떻게 최고식품과 거래를 트게 됐는지부터 말해 주실 수 있을까요?"

"예, 그게……."

봉만덕은 3년 전의 과거로 돌아갔다.

"그러셨군요. 최고식품까지 가셔서 답사를 하셨군요."

"예. 무려 7년을 노력했는데도 매출이 쉽게 오르지 않더군요. 맛은 정말 자신 있는데. 그래서 실례를 무릅쓰고 찾아갔습니다."

나랑 뭐가 다를까. 비법은 뭘까.

봉만덕 사장의 입장에선 업계 선배이자, 대기업이나 다름없던 최고식품. 혹시라도 배울 게 있을까 안면몰수 하고 찾아갔다.

오직 두 가지의 이유로.

더 맛있는 만두를 만들기 위해서.

만두를 많이 팔아 직원들 월급 올려 주려고.

7년간 박봉을 받으면서도 함께 고생해 준 직원들을 위해.

그렇게 찾아가니 최고식품의 정 사장은 너무 반갑게 맞이해 주었다.

너무도 쉽게 비법을 알려 줬다.

솔직히 그 비법을 듣고 의심을 했었다. 공정을 모두 지켜보기 전까지만 해도 그랬다.

"그런데 맛이 다른 겁니다!"

막 나온 만두를 쪄 먹었을 때의 감동을 아직도 잊지 못한다.

달리 첨가된 건 딱 하나, 고작해야 단무지 조각이 미량으로 들어갔을 뿐이다.

"원가 절감을 위해서 단무지 자투리를 쓴 거요? 그게 도대체 뭐가 문제입니까? 그러면 비지는 왜 먹고, 대두단백으로 만든 콩고기는 왜 먹는 거랍니까!"

콩으로 두부나 콩기름을 만들고 나면 남는 찌꺼기인 비지와 대두단백.

이를 이용해 만들어진 음식들은 어떠한 논란도 없이 대중들의 식탁에 올라가고 있었다.

그런데 왜 고작 단무지를 네모나게 자르며 생긴 단무지 자투리는 쓰레기라고 불리는 것인지 도무지 이해할 수가 없었다.

"그렇죠. 맞죠."

종혁은 맞장구를 치며 부추겼다.

가슴에 쌓이는 울분은 결국 독이 되어 사람을 죽이기에 토해 내도록 부추겼다.

그에 봉만덕은 자신이 기억하는 모든 걸 울분과 함께 뱉어 냈다.

"이건 정말 누군가가 악심을 품고 정 사장님을 망치려 들려는 게 아니고서야……."

하지만 그럴 리가 없다.

결재가 석 달이나 늦어도 그럴 수 있다고 허허 웃던 분, 인망과 신의로 장사를 하던 분이 정 사장님 아니던가.

봉만덕은 머릿속에 드는 생각을 지워 냈다.

종혁은 그런 그의 혼잣말에 눈을 빛냈다.

"후우우."

종혁은 이제야 진정을 하는 봉만덕의 모습에 수첩을 갈무리했다.

"일단은 이 정도면 될 것 같네요. 정말 협조 감사드립니다."

"아, 아닙니다. ……솔직히 저도 이렇게 털어놓으니 좀 후련하네요."

그래서 신기했다.

고작해야 자신의 절반밖에 안 산 젊은 청년에게 미주알고주알 다 털어놓은 자신의 모습이 말이다.

'보통 청년이 아니구나.'

"으흠. 그럼 이제 가시는 겁니까?"

"아니요. 일단 국과수가 도착할 때까진 있을 예정입니다."

대략 10분 정도 남았다.

"그때도 협조 잘 부탁드립니다."

"어이구. 곧 점심인데 식사라도 하고 가시지……."

"식사요?"

종혁은 눈을 빛냈다. 안 그래도 듣고 싶었던 말이었다.

"음. 그럼 실례가 안 된다면 밥을 좀 얻어먹어도 될까요?"

"예? 아, 예!"

예의상 말을 꺼냈던 봉만덕은 살짝 당황했지만, 이내 고개를 끄덕였다. 그에 종혁은 씩 웃었다.

"감사합니다. 그럼 신세 좀 지겠습니다. 아, 참고로 전 만둣국을 정말 좋아합니다."

"……예?"

"세상에서 가장 좋아합니다."

"……."

* * *

"아따 깡이 좋아야 형사도 할 수 있는가벼."

"냅둬. 저러다 뒤지겄지."

"그래도 고맙지 않아요? 우릴 믿어 준다는 거잖아요."

직원들은 그건 맞다며 고개를 끄덕였다.

깔끔하기론 결벽증 저리 가라 할 만큼 청결과 위생을 중요시하는 봉만덕의 감시 아래 정성을 다해 만든 만두다.

지금이야 기계가 거의 다 만든다지만, 아직도 마지막 빚는 공정은 그들의 손을 거쳐야 한다.

그만큼 애정과 애착을 기울인 만두다. 아니, 자부심이다.

그런 자부심이 매도를 당했는데, 그들이라고 화가 나지 않을까.

그래서 고마웠다.

자신들이 만든 만두를, 비록 최고식품에서 납품받은 식재료를 빼고 다시 만들었다지만 그래도 자신들이 만든 만두를 저렇게 맛있게 먹어 주는 게.

그들은 종혁과 김종두 과장을 따뜻한 시선으로 바라봤다.

후룩! 후루룩!

"어흐으! 좋네. 사장님, 맛있습니다."

"하하. 그러세요? 어떻게 젊은 형사님께선 입에……."

텅!

대답 대신 빈 냉면 그릇이 테이블에 내려진다.

"크허어! 한 그릇 더 먹어도 되겠습니까?"

"……예. 얼마든지요! 마음껏 드십시오!"

종혁은 활짝 웃는 봉만덕 사장에게 씩 웃어 주곤 한 그릇 더 먹기 위해 일어섰다.

"그럼 잘 먹고…… 아차차. 이 말이 아니지, 참."

종혁은 입술을 때리는 김종두를 외면하며 봉만덕 사장

을 바라봤다. 처음 마주했을 때와는 비교도 안 될 만큼 밝아진 그.

'하지만 아직 멀었지.'

지금 봉만덕은 그 자신이 잘못되지 않았다는 확신과 안도만 얻었을 뿐이다. 아직 그가 살아나려면 한 가지가 더 필요했다.

"봉만덕 사장님."

"예, 형사님."

"비록 지금은 힘들고 괴로울지라도 조금만 참아 보십시오. 국민들도 곧 사장님의 진심을 알아줄 겁니다."

"……부디 그랬으면 좋겠군요."

"꼭 그렇게 될 테니 사장님도 참고 견뎌 주십시오. 최소한 저희 경찰이 이번 일을 해결할 때까지!"

씁쓸히 웃던 봉만덕은 입을 다물었다.

진지함으로 가득한 눈빛.

'진심이구나. 진심으로 날 걱정하는구나.'

이렇게 걱정해 주는 사람이 있는데 어찌 쉽게 허튼 생각을 할까.

봉만덕은 한 번 속는 셈 치고 믿어 보기로 했다.

"예, 그래 보겠습니다."

활짝 웃은 종혁은 정중히 고개를 숙였다.

"그럼 가 보겠습니다."

"조심히 가십시오."

종혁과 김종두를 태운 차는 부지를 빠져나갔다.

부우웅!

서울에서 내려 올 때처럼 조용한 차 안.

"지랄이다. 지랄이야."

"그러니까요."

김종두는 한숨을 길게 내쉬었다.

지금이야 버티겠다고 대답했지만, 오늘 이 생각이 얼마나 갈지 모른다. 그만큼 봉만덕은 궁지에 몰린 상황이다.

그도 처음 봉만덕을 봤을 때 그걸 느꼈다. 그렇기에 종혁의 행동에 어울려 줬던 거다.

"어떻게든 버텨야 할 텐데…… 그래야 우리들도 힘내서 사건을 빨리 해결할 텐데……."

한창 사건을 진행하는 와중에 피해자가 자살을 하는 것만큼 허무하고 울분이 솟는 것도 없다. 그런 상황을 많이 보아 온 김종두로선 봉만덕이 부디 그런 선택을 하지 않기를 간절히 바랐다.

"아니요. 버텨야 할 텐데가 아니라 버티게 만들어야죠."

"음?"

종혁은 핸드프리에 붙은 핸드폰의 단축 버튼을 눌렀다.

–예. 여보십시오.

낯익은 목소리에 김종두는 눈을 데구루루 굴렸다.

"예, 어르신. 아니, 권 이사장님. 저 종혁입니다."

'권회수?!'

이제야 기억난다.

예전에 디지털포렌식 문제로 종혁이 권회수, 이치로 교

수와 함께 본청에 왔던 게.

김종두는 재빨리 종혁을 봤다.

-그래요, 최 형사. 무슨 일이신가?

"이번에 일어난 만두 파동 아시죠?

-알지. 그건 왜?

"제가 그 사건을 담당하게 됐는데, 조사해 보니까 관련 업체분들이 상당히 억울하시게 됐더라고요."

-……아, 무슨 말인지 알겠네. 내가 잘 처리함세.

"국과수에서 검사 결과가 나오면 업체 목록 보내 드리겠습니다. 아, 애들 동의는 무조건 받아 주시고요. 강요는 안 되고요."

-날 뭘로 보고. 그런 건 걱정 마시게. 그럼 끊음세.

"예. 다음에 좋은 술 들고 찾아뵙겠습니다."

-허허허. 그보단 여자친구부터 사귀…….

탁!

전화를 끊은 종혁은 슬쩍 김종두를 봤다.

풍랑을 맞은 것처럼 흔들리는 눈으로 쳐다보는 그.

"내가 지금 잘 이해가 되지 않아서 그런데……."

"과장님이 생각하시는 거 맞습니다. 행복의 쉼터 재단 명의로 만두 구매하는 거."

현재 봉만덕의 공장이 있는 충청북도에 세워진 가출청소년쉼터에 등록된 가출 청소년의 숫자가 약 380여 명이다.

이 외에 소년소녀 가장, 독거노인 등 누군가의 지원이 절실한 사람들의 숫자를 모두 합하면 셈이 잘 되지 않는다.

여기에 다른 센터들과 연계까지 한다면 일주일에 몇만 개 정도는 충분히 소화할 수 있다고 봐야 했다.

"이럴 때 쓰라고 있는 게 인맥이잖아요."

그리고 이게 종혁이 봉만덕에게 주는 희망이었다.

"으하하하핫!"

김종두 과장은 배를 잡고 웃었다.

그리고 곧 핸드폰을 들어 어딘가로 전화를 걸었다.

후배가, 그것도 십대 때부터 쭉 지켜봐 온 종혁이 이렇게 까지 하는데 선배로서, 삼촌으로서 가만히 있을 수가 없었다.

"예, 청장님. 저 특수 김 과장입니다!"

"……?!"

"만두 파동 문제 때문에 연락드렸습니다. 다름이 아니라 이번 기회에 경찰 이미지를 쇄신해 보시는 게 어떻겠습니까? 업체 목록은 저희가 정리해서 보내 드릴 테니…… 감사합니다! 충성!"

김종두는 불이 타오르는 눈으로 종혁을 봤다.

"다음 목적지는 어디냐?"

씨익!

종혁의 입가에 진한 미소가 피어났다.

"충청도에 왔으면 전라도에도 가야죠."

"아, 그렇지? ……뭐해? 밟아."

"예!"

둘을 태운 차는 빠르게 전라도로 향했다.

* * *

특별수사대책본부가 세워진 경기도의 한 경찰서 건물 앞.

목에 카메라를 건 기자들이 입구를 바라보며 다리를 떤다.

"아, 이거 대체 언제 오는 거야?"

"오늘 오는 거 맞아?"

"아까 최고식품 사장이 들어갔잖아. 곧 오겠지."

"어, 저거 아니야?"

검은색 승용차 한 대가 입구를 지나쳐 안으로 진입한다.

그들은 운전석과 보조석에 앉은 종혁과 김종두를 발견하곤 눈을 빛냈다.

'왔다!'

촤라라라라!

차를 향해 쏟아지는 플래시 세례.

종혁과 김종두는 혀를 내둘렀다.

"휘유. 이거 네 차 타고 왔으면 큰일 났겠는데?"

"특수본의 김종두 과장, 외제차로 재력 과시?"

"씨불. 딸내미 옷 사 줄 돈이라도 있으면 억울하지도 않지."

"큭큭. 내리시죠."

둘이 차에서 내리자 플래시 세례가 더 격해진다.

플래시뿐만 아니라 언어의 폭력도 쏟아진다.

"지금 상황이 어떻습니까!"

"최고식품의 사장이 잘못한 거 맞습니까!"

"쓰레기 만두를 미리 알아차리지 못한 죄는 인정하십니까!"

울컥!

종혁도 울컥했다.

구청 소관의 일을 왜 경찰에게 떠넘길까.

김종두 과장은 표정을 딱딱하게 굳혔다.

"아직 확실하게 밝혀진 건 없습니다. 그럼 바빠서."

"한 말씀만 해 주십시오!"

"김종두 과장님! 지금 국민들이 알 권리를 무시하는 겁니까!"

종혁과 김종두는 아무렇게나 지껄이는 기자들을 헤치며 안으로 들어갔다.

뚜벅뚜벅!

"……알 권리는 개뿔. 니들이 알고 싶은 거겠지. 그놈의 부수 때문에."

"어디 하루 이틀입니까?"

"하루 이틀이 아니니까 그렇지. 저 새끼들 요새 부쩍 저러는 것 같네."

종혁도 그렇게 느낀다.

신문이 포털 사이트에 진출을 하면서 조회수 경쟁이 붙었기 때문이다. 이젠 어쩔 수 없는 시대의 흐름이라고 봐야 했다.

'결국 이렇게 됐네.'

씁쓸했다.

하지만 그런 감상도 잠시.

4층에 도착하자 둘은 정신을 바짝 차렸다.

복도 끝 철문에 붙여져 있는 '쓰레기 만두 파동 특별수사대책본부'란 글자.

"나 괜찮냐?"

종혁은 대답 대신 목깃의 다듬어 줬다.

"저는요?"

김종두는 엄지로 대답을 대신했다.

"후우우. 들어가자."

"예."

종혁은 한발 먼저 걸어가 철문의 문을 활짝 열었다.

덜컹, 끼이익!

그러며 드러난 안의 풍경.

의자에 앉아 있던 40여 명의 형사들이 몸을 벌떡 일으킨다.

드르륵! 드르륵!

서울 경기, 충청, 경상, 전라, 강원 전국 각지에서 모인 형사들.

종혁과 김종두는 흉흉한 그들의 면면을 눈에 담으며 단상으로 향했다.

"하루 늦어서 미안합니다. 이번 특별수사대책본부의 본부장을 맡은 김종두 과장입니다. 잘 부탁드립니다."

그랬다.

이번 특별수사대책본부의 본부장은 김종두 과장이었다.

그리고.

“제1부본부장을 맡게 된 최종혁 경위입니다. 잘 부탁드립니다.”

종혁은 당황하는 형사들을 지긋이 응시했다.

* * *

서울 경기, 충청, 경상, 전라, 강원.

최고식품에게 납품을 받은 식품업체 소재지 경찰서에 소속된 형사들은 종혁의 발언에 당황했다가 이내 사정을 듣고 이해를 했다.

형사로서 첫 사건.

그렇다면 이해할 수 있었다.

첫 사건으로 이런 초대형 사건을 맡는다는 게 많이 부럽긴 했지만 말이다.

“그럼 브리핑을 시작하겠습니다.”

이틀 전 최고식품으로 향했던 특수범죄수사과의 형사가 일어서자 특별수사대책본부, 특수본의 불이 꺼진다.

모두 정면에 비춰지는 스크린을 응시했다.

“업체명 최고식품. 경기도 용인시에 소재. 정문 사진입니다.”

공장이라면 어디서든 볼 수 있는 넓은 대문 사진을 시작으로 사건 브리핑이 시작됐다.

그리고 이윽고 문제의 사진이 스크린에 떠올랐다.

“흐음.”

방송국 9시 뉴스를 타면서 이렇게 전국 각지에서 형사들을 불러 모은 영상.

–비 내리는 호남선!

조립식으로 지어진 건물 뒤편, 커다란 천막이 쳐져 있고 사십대부터 육십대까지의 여성들이 트로트 음악을 들으며 산처럼 쌓인 흙이 묻은 부추 따위를 다듬고 있다.

종혁의 두 눈에 흙투성이인 그녀들의 손과 옷이 들어온다. 조립식으로 깔끔하게 지어진 공장 건물에 맞지 않는 모습이다.

그와 동시에 얼마 전 뉴스에서 들은 목소리가 울려 퍼진다.

–지금 뭐 하세요?

–보면 몰러? 부추 다듬제!

–이렇게 바닥에서요?

–그럼?

그 말을 끝으로 장면이 전환된다.

–욱! 냄새가 심하네요?

–이게요? 이 정도면 향긋하죠!

최고식품 사장의 밝은 목소리.

양파나 마늘, 흙이 묻은 부추 따위가 저장된 실온창고를 훑은 영상은 또다시 다른 장면으로 전환된다.

–어? 저거 단무지 아니에요?

—쉿! 이건 사장님에게만 알려 주는 건데, 저게 우리 만두의 비법이에요. 하, 이거 정말 아무한테나 알려 주지 않는 건데…….

—저런 쓰레기로요? 원래 버리는 거 아니에요?

—쓰레기라니! 자투리죠! 저걸 왜 버려요?

이걸 끝으로 뉴스 앵커의 모습이 비춘다.

그리고 고작 이 세 개의 영상으로 창립 15년의 건실한 식품업체 최고식품은 졸지에 쓰레기 만두를 만들어 판 회사가 됐고, 쓰레기 만두 파동이 일어났다.

종혁은 이를 악물었다.

'개새끼들!'

그걸 힐끗 본 김종두 과장이 마이크를 잡았다.

"원본 영상 확보됐습니까?"

뒤쪽에서 형사들이 일어선다.

"방송국에서 협조를 거부하고 있습니다."

"뭐야? 저게 다가 아닌 거야?"

"이 새끼들 뭔가 찔리는 게 있나 본데?"

웅성웅성.

이 자리에 모인 형사들은 모두 각 지방에서 날고 긴다는 베테랑이다.

이번 브리핑 전까지 사건의 내용이라곤 방송과 그들이 조사한, 그들 소재지의 식품업체가 전부였던 그들은 단숨에 뭔가 이상하단 걸 깨달았다.

깔끔한 공장 입구 사진과 공장 사진을 봐서 그렇다.

종혁은 앞에 있는 마이크를 잡았다.

"박대철 경위, 경위가 촬영한 영상을 틀어 주세요."

"예."

단상 옆에 선 그가 노트북을 두드리자 다른 영상이 나온다.

단 한 점의 사심 없이 그냥 말없이 공장 내 풍경을 찍은 영상.

그에 형사들의 표정이 오묘하게 변한다.

"……햐, 이거 봐라?"

"이건 또 뭐시여. 하이구, 아주 지랄 염병을 한다."

"그럼 세균 검출은 또 뭐야?"

대화의 흐름을 읽은 종혁은 다시 마이크를 잡았다.

"국과수, 검사 결과 나왔습니까?"

그 말에 국과수에서 파견된 검사관이 몸을 일으켰다.

"예. 지급으로 검사를 했고, 일단 임시 결과가 나왔습니다."

모두의 시선이 국과수 검시관에게 모인다.

"일단 결론을 말하자면 세균이…… 검출되었습니다."

웅성웅성.

"뭐야, 방송국 말이 맞다고? 정말 세균이 검출됐다고?"

"이건 또 뭐시여."

갑작스런 반전에 형사들이 당황한다.

대체 어디서 검사한 건지 방송국은 세균이 검출됐다고 말했다.

지금까지 지켜본 정황상 그건 거짓말이라고 여겼는데, 방송국이 최고식품의 사장을 작정하고 묻는 것 같았는데 정말로 세균이 검출됐다.

당연히 당황할 수밖에 없다.

그러나 종혁은 아니었다.

"인체에 치명적입니까?"

움찔!

종혁과 눈이 마주친 검사관이 입술을 비튼다. 종혁이 핵심을 찔렀기 때문이다.

"절대 아닙니다."

다시 일어난 반전.

이제 형사들은 뭐가 뭔지 모를 정도로 혼란스러워졌다.

"그 세균이라고 해 봤자……."

검사관은 앞에 놓인 작은 생수병을 따서 입을 대고 마셨다.

그리고 내려놨다.

"이 상태로 이 정도의 서늘한 기온에서 10분 정도 방치한 수준입니다. 세균이 번식한 게 맞긴 맞지만, 이 정도도 인체에 영향을 끼치는 세균이라고 정의한다면 글쎄요……. 전 세계 인구 99.99퍼센트는 이미 죽었다고 봐야겠군요."

싸늘한 목소리에서 분노가 가득 느껴진다.

"정말 어떤 개새끼가 이런 결과를 냈는지 면상 좀 보고 싶을 정도입니다. 확 파묻어 버리게."

언론이 흔히 펜은 칼보다 강하다 하지만, 자신들은 사람의 목숨 줄을 끊을 수 있는 진짜 칼이다.

검사 결과 하나에 사람을 살릴 수도 죽일 수 있기에 언제나 신중에 신중을 기울여 팩트만 전달해야 되는 게 그들 검사관이다. 그래서 분노할 수밖에 없었다.

"네, 감사합니다."

종혁은 다시 박대철 경위를 봤다.

"최고식품 정정호 사장의 취조 영상 틀어 주세요."

그 말에 형사들은 일단 혼란을 접고 영상에 집중했다.

이윽고 삶의 희망을 잃어버린 듯 초췌하기 짝이 없는 육십대 노인의 모습이 흘러나왔다.

그리고 그의 취조를 담당한 특수범죄수사대의 형사가 방송 영상을 틀어 준다.

그에 부들부들 떠는 정정호 사장.

마치 피눈물을 흘릴 듯 눈을 부릅뜬 그가 입을 연다.

-이보시오, 형사님. 이거 다 오해요.

-말해 보세요.

-일단 이거, 부추! 나 음식 장사만 50년을 한 놈입니다. 음식 장사를 하는 사람들 아무나 잡고 물어보시오! 흙 묻은 식자재를 주방 안으로 들이는 미친놈이 있는지!

이렇게 다듬은 후 다시 세척을 해서 공장 안에 들인다는 게 그의 설명이다.

실온창고의 식자재는 길게 있어 봐야 6일.

그것도 장기 보관이 가능한 마늘 정도다.

나머진 3일도 안 되어 모두 만두소를 만드는 기계 안에 들어간다.

-그럼 이 단무지는 뭡니까.

이 파동의 원흉, 단무지 자투리.

최고식품은 이걸 다져서 만두소 안에 넣었다.

-허허. 그래요, 형사님. 내가 돈에 미쳐서 쓰레기를 썼다 칩시다. 예? 그런데 그런 내가 왜 이런 쓰레기를 그렇게 세척하고 또 세척해서 쓰겠습니까? 이놈 다지는 기계는 또 왜 들였고요! 그냥 대충 다져서 처넣으면 되는데-!

"……."

정정호 사장이 온몸으로 토해 내는 억울함에 형사들이 입을 다문다.

-그리고! 만두에 단무지 넣는 거! 전 세계에서 내가 처음 만든 겁니다! 어떻게든 싸고 맛있게 먹이기 위해! 싼게 비지떡이라는 편견을 깨부숴 버리기 위해! 그런 내가! 내가아-!

종혁은 박대철 경위에게 그만 끊어 달라 손짓을 했고, 영상은 재빨리 종료됐다.

수사본부는 찬물을 끼얹은 듯 조용했다.

베테랑인 그들은 알아차렸다. 정정호 사장이 진심이라는 걸.

종혁은 생각에 잠기는 형사들을 둘러보다 다시 마이크를 잡았다.

"국과수, 이 단무지 정말 괜찮은 거 맞습니까?"

검사관의 표정이 묘해진다. 이번에도 핵심을 찔렀기 때문이다.

"현 상태만 유지한다면 아무런 문제가 없습니다."

지금처럼 냉동 보관을 하고, 냉동차로 옮겨 냉장고에 집어넣는다면 아무런 문제가 없다.

"다만 어떤 이유로 인해 상온에 장시간 방치됐을 땐……."

"쉽게 변질될 수 있다는 거군요."

형사들의 눈이 크게 뜨인다.

"정확히는 여러 번 세척을 했어도 남을 수밖에 없는 단무지의 단촛물이 오염원이 될 겁니다."

"기한은요?"

"일반 냉동식품과 차이는 없습니다. 현재 기온에선 대략 8시간, 여름이면 1시간 안에 오염이 진행될 겁니다. 일단 여기까진 위험도가 매우 낮습니다."

다만 한번 부패가 시작되면 진행 속도가 빠르긴 하다.

그러나 여름날 바깥에 2시간 이상 방치하는 게 아니고서야…….

"그렇게까지 방치할 멍청한 사람은 없겠죠."

그냥 기본 상식이다.

"그러니까 지금처럼만 잘 관리하면 아무런 문제가 없단 말이죠?"

"예, 그렇습니다."

"소중한 고견 감사합니다. 그럼 다른 업체들에선 세균이 얼마나 검출됐는지 발표해 주시겠습니까?"

고개를 끄덕인 검사관은 중간 검사 결과를 모두 발표했고, 안심하고 식용해도 괜찮다는 판정을 내렸다.

약간 위험한 업체가 몇 곳 있긴 하지만, 그곳들을 제외하면 마음 놓고 먹으면 된다는 게 국과수의 판단이었다.

"그러면 현재까지 발표된 내용을 정리하겠습니다."

종혁은 형사들을 둘러봤다.

그에 형사들의 표정이 묘해진다. 이런 초대형 사건에 이렇게 많은 사람들이 주목하면 버벅거려야 할 초짜가 중요 포인트만 딱딱 짚으며 회의를 진두지휘하고 있다.

그들의 눈이 욕심으로 빛나기 시작했고, 종혁은 브리핑을 정리한 노트를 보고 읊으려다가 피식 웃었다.

"뭐 정리라고 할 게 있나 싶군요. 그냥 어떤 씹새끼가 어떤 이유로 작정을 하고 왜곡 보도를 해서 수천 명의 인생을 망치려 든 사건입니다. 그러니……."

"이 개새끼들을 때려잡자?"

종혁은 마이크를 잡은 김종두 과장을 봤다.

"예. 이 개새끼들 때려잡아야 합니다."

"감당 가능하겠냐? 이거 언론과 붙는 거다. 그것도 지금까지 치외법권이나 다름없는 방송국과."

"방송국 직원은 이 나라 국민이 아닌 겁니까?"

까드득!

종혁의 눈이 살의로 불타오른다.

"크크. 역시 내 새끼답게 말 잘했다. 걔들도 대한민국 국민이지. 근데 이 새끼들은 가끔씩 이걸 잊는단 말이야."

뿌드득!

이를 간 김종두는 형사들을 죽일 듯 노려봤다.

"자, 모두 제1부본부장 말 들었죠?"

형사들의 눈도 김종두 과장처럼 살벌해진다.

"언론이라 겁먹지…… 니미! 걔들이 언제부터 치외법권이었어?! 우리 빽은 청장님이니까 걱정 말고 들이받아!"

"예-!"

드르륵! 드르륵!

대한민국 형사들이 언론을 타깃으로 잡고 움직이는 순간이었다.

* * *

형사들이 모두 떠나고 수사본부엔 종혁과 김종두 과장 둘만 남겨졌다.

"야, 이거 어디서부터 파 봐야겠냐?"

"일단 영상을 찍은 놈부터 알아봐야겠죠."

형사들도 그렇게 움직이고 있을 거다.

"흠. 그 새끼들이 쉽게 알려 줄까?"

종혁도 그게 문제이긴 하다.

마치 공무원인 것처럼 무슨 일이 터지면 꼭 안에서 해결하려 드는 방송국 놈들.

절대 알려 주지 않을 거다.

'간부급을 찔러 봐야 하나? 몇 놈 비리 아는데…….'

회귀 전 지식. 사소하지만 사회적으로는 치명적인 비리.

종혁의 눈이 가늘게 떠졌다.

"햐. 그런데 아무리 생각해도 모르겠네. 대체 이놈들 속셈이 뭘까? 고작 특종 하나를 노렸다기엔……."

"너무 악의적이고 사이즈가 크죠."

"내 말이."

종혁과 김종두 과장은 생각에 잠겼다.

"뭐, 일단 꼬리를 잡으면 알지 않겠습니까?"

"그렇지?"

고개를 끄덕인 둘도 몸을 일으켰다.

* * *

"으하하하핫!"

불이 환하게 켜진 유흥주점의 룸에 웃음소리가 쩌렁쩌렁 울린다.

"오빠, 여기 안주 좀 드세요."

천의 면적이 적은 옷을 입은 아가씨가 과일을 입에 물어 넘겨주자, 머리가 벗겨지기 시작하는 것을 제외하면 평범한 외모의 사십대 중반 남성이 서슴없이 베어 문다.

"음. 역시 안주는 입술이 최고라니까. 너 오늘 입술 맛있다?"

"아이잉."

토닥토닥 가슴을 두드리는 작은 주먹에 남성은 다시 껄

껄 웃었다.

그런데 그런 그의 옆자리에 앉은 삼십대 중반의 사내가 안절부절못했다.

"매형, 이거 정말 괜찮을까요?"

"뭐? 아, 그 쓰레기 만두……."

똑똑똑.

"들어와."

문을 열고 들어온 종업원이 고급 양주를 사십대 남성에게 보여 줬다.

"추가 주문하신 발렌타인 30년산입니다. 여기 테이프 확인하셨죠? 그럼 오픈하겠습니다."

뜨드득!

이십대 초반의 어린 종업원은 양주를 옆자리 여성에게 넘겼고, 남성은 손을 저었다.

"수고했어. 가 봐."

"어머, 오빠앙. 수고한 우리 삼촌 용돈 좀 주면 안 될까요?"

"한 게 뭐 있다고 용돈은 무슨. 가."

"좋은 시간 되십시오."

종업원이 돌아서자 사십대 남성은 자신의 처남을 봤다.

"쓰레기 만두 말이지? 괜찮아, 괜찮아."

스르륵! 쿵!

닫힌 문을 힐끔 바라본 남성은 거만하게 어깨를 폈다.

그러나 처남은 그런 매형을 보며 더 안절부절못했다.

"아니, 담이 그렇게 작아서 어떻게 큰일을 하겠다고 그래?"

"하지만 일이 너무 커졌잖아요! 그냥 최고식품만……."

"어허!"

사십대 남성은 아가씨들을 힐끗 봤다.

심각한 이야기가 시작되자 자기들끼리 이야기를 나누는 넷.

"솔직히 나도 몰랐지."

최고식품의 거래처가 많은 줄은 알았지만, 그렇게까지 많을 줄은 몰랐다.

하지만…….

"처남 입장에선 그래서 더 다행 아니야? 이렇게 전국적으로 들썩이니 그 공장은 똥값이 될 거잖아."

"그, 그렇기는 하죠."

"그럼 어떻게 되겠어?"

"……앉은 자리에서 돈 버는 거죠."

"정확히는 헐값에 산 황금의자 앉아서 돈 버는 거지."

우연히 최고식품에 대해 알게 된 이후 얼마나 놀랐던가.

학교나 분식집 따위에서나 볼 수 있는 싸구려 만두를 만들어 파는 것뿐인데 한 해 매출이 어마어마했다.

그렇다고 사장이 하는 일이 있는 것도 아니다.

오래된 기업이라 이미 시스템이 모두 갖춰진 상태라서 공장과 직원만 인수하면 된다.

'왜 제값 주고 사야 돼? 이렇게하면 똥값 되는데!'

여기에 마침 처남이 창업을 하고 싶다기에 일을 진행했던 거다.

"솔직히 처남이 부탁해서 한 일인데 이러면 나 너무 섭섭해."

"아니, 매형이 옆구리를 먼저……."

"그래서 싫어? 그냥 내가 해?"

"죄송합니다. 누나에게 잘할게요."

"내가 원래 자네 사람 취급도 안 했던 거 알지? 너희 누나랑 결혼할 때 다 반대해도 처남만 적극 찬성해서 그 은혜 갚는 거야."

"헤헤. 감사합니다, 매형. 정말 잘할게요."

"그래. 이젠 홀몸도 아니잖아."

처남은 굽실굽실하며 배시시 웃었다.

"아, 그런데 경찰은 괜찮을까요? 매형을 찾으면……."

"내가 비밀 하나 말해 줄까? 방송국은 절대 나 안 불어. 왜? 군사 정권 이겨 내면서 지들이 신이 됐다고 착각하게 됐거든."

'그건 나도 마찬가지고!'

세상 어느 누가 밑으로 보는 놈들에게 칼을 쥐여 줄까. 그 칼이 춤을 추는 순간 목이 여럿 날아갈 텐데.

절대 그럴 리가 없다.

"그렇다면 다행이고요!"

"그래. 그러니 마음 푹 놔. 뭐해? 술 비었잖아."

"네, 오빠–!"

"자, 건배!"

"건배–!"

그들은 그렇게 오늘도 진탕 취해 갔다.

"으흐흥."

20분 전 두 남자를 따라나섰던 이십대 중반 여성이 콧노래를 부르며 복귀하고 그 룸에 들어갔던 종업원이 맞이한다.

"빨리 오셨네요?"

"응. 그 새끼 조루라서. 난 조루가 참 좋더라? 자, 이건 우리 삼촌 용돈! 내가 타 왔지롱?"

"아, 아니……."

"대학에 갔는데도 이렇게 학비 벌려고 온 게 기특해서 그래. 누나가 주는 용돈이라고 생각하고 넣어 둬."

"감사합니다……."

"응! 그럼 난 쉴 테니까 마담 언니가 물어보면 죽었다고 해!"

"아, 누나!"

"응?"

"아까 그 사람이 뭐라고 했어요? 쓰레기 만두 어쩌고 하던데?"

"어…… 아, 그거 자기네들이 했다고 하던데? 뭐 암튼 그랬어. 하여튼 술 마시러 와서 사업 이야기를 하는 놈들은 넘흐 고맙드라! 쉬게 해 줘서! 좀따 빵!"

손을 흔든 그녀가 안쪽으로 향하는 걸 빤히 바라보던 어린 종업원은 카운터를 봤다.

"저 잠시 담배 좀 피우고 올게요!"

"어!"

그렇게 밖으로 나온 그는 핸드폰을 꺼냈다.

-왜 이 시간에 전화질이야?

"됐고. 야, 종혁이 형 지금 형사 됐다고 했지? 졸업한 거 맞지?"

1999년, 김 노인의 손아귀에 붙들려 폐차장에서 죽어가던 중 검사 아저씨들과 함께 백마 탄 왕자처럼 나타나 구해 줬던 종혁.

그리고 사랑과 온정으로 키워 준 행복의 쉼터.

-그런데? 왜?

"내가 지금 이상한 말을 들어서 말이야."

* * *

어스름 해가 저무는 오후.

유흥가를 걷던 종혁이 저 멀리서 손을 흔드는 한 어린 청년을 발견하곤 얼굴을 구긴다.

"형! 여기예요, 여기!"

자기가 뭔 짓을 했는지도 모른 채 해맑게 웃는 모습을 보니 울화가 치솟는다.

성큼성큼! 빠악!

"누가 이런 곳에서 일하라고 했어! 이놈의 자식이 하라는 공부는 안 하고. 인마!"

"이, 이것도 공부예요! 저 기자가 꿈인 거 알잖아요!"

1999년, 닷컴버블이 일어날 당시 중국집을 인수하기까지 하며 작전 세력을 소탕하던 중 김 노인이란 이의 폐차장에서 구해 낸 소년들 중 한 명인 효종이.

"그래. 처음 봤을 땐 축구를 하고 싶다고 했지."

그래서 행복의 쉼터 1호점에 실내축구장을 만들었다.

그런데 이놈은 신문방송학과로 진학했다.

"잠깐, 가만 생각해 보니까 열 받네? 너 왜 요새 연락 안 해? 이런 곳에서 일하니까 혼날 것 같아서 안 하냐?"

"진짜라니까요! 사회의 어두운 면을 조사하라는 과제 때문이에요! ……어두운 부분은 여기 말고도 많은 건 알지만, 우리 쉼터에 들어온 누나, 동생들 중에 이런 곳에서 일한 애들이 많으니까……."

어떻게 일을 했는지는 결코 말하지 않았던 그녀들이 어떤 고통을 겪었는지, 어떤 마음으로 버텼는지 알고 싶었다.

효종에겐 다 누나고, 동생이니까.

가족이라면 알아야 하니까.

그래서 이런 곳을 택한 거다.

그런 효종의 마음을 진하게 전달받은 종혁은 효정의 머리를 헝클었다. 그 어렸던 아이가 벌써 남을 생각할 줄 아는 어른이 됐다.

"학교 성적은? 선호는 잘 있고?"

일본 미나토 대학에서 한창 프로그래밍을 공부 중일 선호.

그때 구한 이들 중 대장 격이었던 아이다.

그런 애들이 이렇게 커서 대학에 들어가고, 사회인이 될 준비를 하는 모습을 보니 절로 흐뭇해진다.

"잘 있죠. 언제 뭉쳐서 꺾어요, 형! 이번 방학 때 어때요?"

"까분다. 아무튼 들어가 봐. 그리고 짱박혀 있어. 좀……."

종혁과 특수본 형사들은 유흥주점을 보며 입술을 비틀었다.

"많이 부숴질 수도 있으니까."

"어…… 네! 파이팅!"

효종이 후다닥 유흥주점 안으로 들어가자 종혁은 특수본 형사들을 봤다.

"한 대씩 피시죠?"

"어후. 그럴까요?"

"제1부본부장님 말씀이신데 당연히 따라 드려야지."

"아니……."

형사들은 당황하는 종혁을 보며 낄낄 웃었다.

그렇게 두 대쯤 피웠을 때 종혁은 목을 꺾었다.

"그럼 들어가시죠."

"어후. 오늘 몸 좀 풀려나?"

"서울 얼라들 깡은 있습니꺼?"

딸랑!

"어? 죄송합니다. 아직 영업 시간 전……."

"아, 술 마시러 온 건 아니고. 가서 마담이나 불러와요."

"누구……."

"그것까지 말해야 할까요?"

종업원의 얼굴이 굳는다.

명품으로 쫙 빼입은 종혁이야 어리고 잘생겼지만, 뒤따라 들어온 삼십대 이상 중년인들의 면상이 죄다 험악하다.

그는 단숨에 상황을 파악했다.

'씨발! 오늘 가게가 아작 나겠구나!'

"자, 잠시만 기다려 주십쇼!"

안으로 달려간 종업원은 곧 화장을 하다 만 졸린 얼굴의 삼십대 후반 여성과 함께 달려왔다.

"호호. 어디서 온 분들이세요? 오시기 전에 연락하시……."

"됐고. 어제 자 CCTV 좀 봅시다."

꿈틀!

뭔가 이상한 요구에 여성의 눈이 스윽 종혁들을 훑는다.

"흥신소? 음. 뽐새가 그쪽은 아닌 것 같은데……."

"그냥 잔말 말고 CCTV 좀 까면 안 될까, 아줌마?"

"아, 아줌…… 야! 너 여기에 누가 오는지 몰라?! 이게 어디서 아줌마래! 암튼 너흰 죽었어. 곧 삼촌들 올 거거든?"

"여기? 누가?"

종혁의 눈이 번뜩 빛난다.

"아줌마, 그거 자세히 말해 볼래? 설마 여기 견찰 새끼가 뒤 봐주는 가게야?"

오싹!

"어?"

순간 잠이 확 달아난다.

뭔가 엿됐다는 걸 직감한 그녀는 눈을 데구루루 굴렸다.

그때였다.

따라랑! 우르르!

"누구야! 어떤 씹새끼가 남의 업장에 와서……."

휘익!

조직원들과 함께 야구방망이를 든 채 헐레벌떡 들어오던 덩치 큰 사내는 반사적으로 날아오는 걸 잡았다가 그대로 굳어 버렸다.

경찰공무원증.

"야."

"예, 예?"

"너희 오야 불러와."

"옙! 아, 그런데 어, 어디서 오신……."

"본청."

조폭들의 얼굴이 하얗게 탈색된다.

"5분 준다."

"옙!"

"나머진 저기 가서 대가리 박고."

"예!"

종혁은 석상처럼 굳어 버린 마담을 봤다.

"아줌마, CCTV."

"……네!"

* * *

“캬. 서울은 CCTV 화질도 좋구마잉.”

가게 안 CCTV뿐만 아니라 가게 앞 CCTV까지 확인을 하던 형사들이 혀를 내둘렀다.

“니미, 이래서 서울, 서울 하는 건가?”

“괜찮아유. 그래도 사람은 다 착하잖아유.”

“잠깐, 그거 착한 거 말곤 쓸모없단 소리 아닙니까?”

“…….”

형사들의 대화에 피식 웃은 종혁은 바로 앞에서 원산폭격을 하고 있는 조폭 두목을 봤다.

“어이, 깡패 대가리. 이름이 뭐라고?”

“최, 최동수입니다! 형님!”

“그래, 동수야. 너 혹시 돈놀이하니?”

“아, 아닙니다! 그냥 이렇게 업장이나 관리하면서 근근이 살아가고 있습니드아-!”

“그러니까 돈 빌려주고 신체포기각서 쓰게 한다거나, 가게 벗어나지 못하게 마이깡 쓰게 하지 않는다는 거지?”

업소 측에서 이런저런 이유를 모두 붙여 쓰게 만드는 불법 대출. 그게 마이깡이다.

“예, 예!”

“아가씨들한테 물어봤는데 아니면 넌 뒤진다.”

움찔!

"그, 그게 마이깡은……."

"오른발 들어."

"끄으윽!"

종혁은 그 옆에서 무릎 꿇고 손들고 있는 마담을 봤다.

"어제 어떤 씹새끼 둘이 여기에 술 마시러 왔을 거야."

"다섯 팀이요!"

"한 놈은 머리가 벗겨지는 와중일 거고."

"두 팀이요!"

"이 중 한 놈이 비싼 걸 좋아하는데 인심이 야박해. 팁을 잘 안 줘."

"한 팀이요!"

"찍어 봐. 내가 아는 거랑 틀리면 혼날 거야, 아줌마."

다급히 달려온 마담은 필사적으로 CCTV를 조작했다.

그리고 곧 두 사람을 찾아냈다.

"이 인간들이에요!"

종혁과 형사들의 눈이 빛난다.

"이야, 탈이 선명하게 보여서 좋네."

"이 씹새들이여?"

종혁은 살았다 기뻐하는 마담을 봤다.

"단골?"

"네. 이 중 여기 나이 든 놈이 저희 가게 단골인데, 진짜 쪼잔한 새끼예요! 술값을 깎아 달라 하지 않나, 아가씨 화대를 깎아 달라지 않나! 자기가 막 방송국 기자라고!"

형사들의 시선도 모두 마담을 본다.

종혁의 입가에 살벌한 미소가 맺혔다.

'너구나.'

"그, 그럼 저는 이만 오픈 준비……."

"카드 영수증."

"네!"

철크럭!

결국 이곳 유흥가를 주름잡던 최동수의 손목에 수갑이 채워졌고, 종혁은 멍하니 쳐다보는 여성들을 향해 허리를 숙였다.

"그동안 고생 많으셨습니다. 이제 여러분을 괴롭힐 사람은 없으니, 아프고 힘들었던 기억은 이곳에 묻고 새 삶을 시작하시길 바랍니다. 다시 한번 늦어서 죄송합니다."

"……흑!"

순간 치미는 격정을 참지 못해 눈물을 보이는 여성들.

뒤에서 효종이 남몰래 엄지를 치켜든다.

피식 웃은 종혁은 망했다 망연자실한 마담을 봤다.

"뒤 봐주는 새끼한테 전해. 감찰이랑 면담하기 싫으면 옷 벗으라고."

"네, 네!"

"그리고 아줌마는 모레까지 본청 특수범죄수사과로 찾아오고. 안 오면 수배야. 아, 그리고 직원들 이번 달에 일한 거 다 지불해. 확인한다."

"네……."

고개를 끄덕이며 밖으로 나온 종혁은 최동수를 차 안에 처넣고는 영수증들을 살폈다.

"장주환……."

이 사단을 일으킨 놈의 이름이다.

'그래, 맞아. 이런 이름이었지.'

2010년 이후 어떤 방송에 의해 이번 사건과 비슷한 파동이 벌어진다. 그때 잠깐 스쳐 지나가듯 언급됐던 이름이다.

"부본부장, 이제 어떻게 할겨? 이놈 뒤 따 봐?"

"네. 따야죠. 아마 이번 일 말고도 이 새끼가 저지른 일이 많을 거예요."

"그라제. 초범은 이런 짓 못하제. 우리 부본부장님이 잘 아는구마잉. 젊은 분이 대단혀."

"하하. 그리고……."

"음?"

말을 하다 만 종혁은 핸드폰을 꺼내 들었다.

"예, 본부장님. 용의자 이름 땄습니다. 이름 장주환. 방송국 보도국 기자입니다. 곧 영수증 보낼 테니까……."

–카드사에 연락해서 신원 정보 따 달라고? 이 자식이 계속 과장을 부리네? 야, 나 특수본 본부장이야!

"하하. 부탁드립니다. 전 이 길로 이 새끼 처남이란 놈을 좀 만나야 할 것 같아서요."

어제 그 룸에 들어간 아가씨가 증언해 줬다.

대화 내용은 상세히 기억하지 못했지만, 그것만으로도

피가 거꾸로 솟았다.

"이 처남이란 놈의 아가리를 찢어야 이번 사건의 진실을 확실히 알 것 같거든요. 그러니 이놈 정보도……."

-그냥 네가 본부장 해, 이 자식아!

"사랑합니다!"

전화를 끊은 종혁은 형사들을 봤다.

"점심은 뭐 드실래요? 제가 쏩니다."

"……푸핫!"

* * *

스르륵!

아파트 주차장에 차를 댄 장주환의 처남 지종현은 돌연 한숨을 내쉬었다.

"후우."

"무슨 일 있어요?"

오늘 함께 장을 본 사랑하는 부인의 걱정에 지종현은 고개를 저었다.

"아냐, 아냐."

"큰아주버님 때문이에요? 요새 수상해. 맨날 큰아주버님이랑 만나고. 어제도 늦게 들어오고."

'그리고 여자 냄새도 나고.'

그뿐만이 아니다.

한 달 전엔 그녀 몰래 그녀의 친정집에 돈을 빌려줄 수 있냐고 했단다. 그것도 억 단위의 큰돈을.

그녀만 까마득히 몰랐다.

"……정말 무슨 일 있는 거 아니죠?"

"아니라니까. 정말 아무것도 아니야. 어서 들어가. 냉동식품 다 녹겠다. 그거 엄청 안 좋은 거야."

"힘든 일 있으면 언제든 말해요. 내가 당신 아내잖아요."

지종현은 아내의 사랑스런 말에 풀썩 웃었다.

"그래, 내가 당신 덕분에 산다. 올라가. 난 한 대 피우고 갈게."

"담배 좀 그만 끊고. 정말 미워 죽겠어."

지종현은 흥 콧방귀를 뀐 아내가 올라가는 걸 빤히 지켜보다 아파트를 봤다.

지어진 지 무려 20년이나 된 옛날 아파트.

원래 신혼집은 여기가 아니었다.

하지만 사업하다 말아먹고, 그러다 야반도주하고.

그러다 보니 결국 이런 곳에 살게 됐다.

부유한 가정에서 저렇게 사랑받고 자란 여자가 남자 하나 잘못 만나서 이런 곳에서 살게 됐는데도 짜증 한 번 부리지 않는다.

그게 너무 미안하고 미안했다.

"그래, 딱 이번만 눈을 감으면 되는 거야. 그러면……."

아내랑 다시 행복해질 수 있다.

사장님, 사모님 소리 들어 가며 떵떵거리고 살 수 있고, 아내 배 속에 있는 햇빛이도 도련님 소리 들으며 자랄 수 있을 거다. 모두가 행복하게 살 수 있다.

지종현은 미래의 그 모습을 떠올리며 마음을 단단히 먹었다.

하지만…….

"그러면 뭐요?"

흠칫!

고개를 돌린 지종현은 이쪽으로 다가오는 일단의 무리에 마른침을 삼켰다. 갑자기 불안감이 확 치솟았다.

"누, 누구?"

"지종현 씨 되시죠? 경찰입니다."

철렁!

"제가 왜 왔는지는 아실 테고……."

종혁은 낯빛이 하얗게 질려 가는 그를 향해 이를 드러냈다.

"순순히 협조할래, 아님 개처럼 끌려갈래? 너 파 보니까 죄가 좀 있더라? 빚 갚아야 할 사람도 많고?"

털썩.

지종현은 다리에 힘이 풀려 주저앉았다.

* * *

"……허허허."

김종두 과장이 웃는다.

다시 생각해도 피가 거꾸로 솟는 이번 사건의 내막.

고작 버러지 한 놈의 욕심 때문에 수천 명의 피해자가 발생했고, 전 국민이 흔들렸다.

그는 방송국의 높은 건물을 바라봤다.

"이야, 내가 살다 살다 여길 영장 들고 찾아와 보네."

격세지감을 느낀다.

정말 성역 없는 수사가 뭔지 깨닫게 된다.

거리나 범죄 종류 등 그 어떤 것도 상관없이 범죄를 해결하라는 의미에서 창설된 특수범죄수사과.

'그런데 그 창설도 이놈 덕분이었지.'

종혁이 아니었다면 탈옥수 한상원을 잡을 수 있었을까.

종혁이 아니었다면 특수범죄수사과가 만들어질 수 있었을까.

종혁이 강철선 검사와 연결시켜 주지 않았다면 특수범죄수사과가 자리를 잡을 수 있었을까.

하나부터 열까지 모두 종혁 덕분이다.

그는 뒤에서 담배를 입에 무는 종혁의 손을 잡아 앞으로 밀었다.

"응?"

"네가 해."

"……저기 기자님들 계시는데요?"

오늘 이 자리, 박영일 등 정말 믿을 수 있는 기자 다섯 명만 대동했다.

그게 좀 아이러니했다. 언론을 징치하는 날을 언론이 찍으니 말이다.

"닥치고 해. 마음 변하기 전에."

"흐흐. 내가 또 이런 건 안 빼죠."

"썩을 놈의 시키."

키득키득 웃은 종혁은 담배를 다시 집어넣으며 형사들을 봤다.

약 40여 명의 형사들.

특별수사대책본부에 합류했던 형사 전원이다.

화려한 피날레를 위해 이렇게 한자리에 모였다.

껄렁껄렁한 모습으로 서 있는 게 깡패랑 분간이 안 되는 식구들.

종혁은 피식 웃었다.

"담배들은 다 피웠습니까?"

"예!"

"그럼…… 들어갑시다."

몸을 돌린 종혁은 그대로 발을 뗐다.

"아따 들어가불자고-!"

"푸하핫!"

우르르!

그들은 웃음을 터트리며 안으로 들어갔고, 박영일 등 기자들은 그 모습을 사진작가에 빙의된 것처럼 열심히 찍었다.

"자, 잠시만요! 이렇게 함부로 들어오시면……."

다급히 막아서려던 경비가 종혁이 내미는 경찰공무원증에 물러서고, 그들은 바리케이드를 훌쩍훌쩍 넘으며 엘리베이터로 향했다.

로비를 지나치던 사람들이 다급히 물러섰고, 십수 명의 형사들은 엘리베이터, 화물용 엘리베이터, 계단 등 퇴로를 차단하기 위해 흩어졌다.

띵! 스르릉!

투벅투벅투벅!

"어어어? 당신들은 뭡……."

엘리베이터에서 내리는 험상궂은 무리에 놀라 막아서려던 사람이 종혁의 손짓에 물러서고, 종혁은 이젠 낯익은 얼굴인 장주환에게 다가갔다.

우르르 흩어져 퇴로를 막는 형사들의 행동에 엉덩이를 뗐던 장주환이 굳는다.

"다, 당신들은 뭡……."

"장주환 씨, 당신을 사기 및 명예훼손죄로 체포합니다. 당신은 묵비권을 행사할 수 있고, 불리한 진술을 거부할 수 있으며, 변호사를 선임할 권리가 있습니다. 이해하셨죠? 그럼 갑시다."

종혁은 그대로 그의 손목에 수갑을 채웠다.

철컥! 움찔!

"놔! 내가 뭔 죄를 저질렀다고 잡아가! 이거 언론 탄압 아니야?!"

역시 예상대로 반항을 하는 장주환.

종혁은 머리채를 잡아 그대로 책상에 찍어 버렸다.

꽈앙!

“아윽! 아…….”

몸을 숙인 종혁은 벌레처럼 꿈틀거리는 그의 귀에 대고 씹어 먹을 듯 말했다.

“네 처남이 다 불었어, 이 개새끼야.”

덜컥!

온몸의 피가 빠져나가는 느낌. 아득한 절망이 엄습했다.

‘그, 그런…….’

“이게 무슨 짓이야!”

“부, 부장님!”

“당신들 뭐야! 지금 경찰이 언론을 탄압하겠다는 거야, 뭐야! 어? 경찰이라면 이래도 돼?!”

종혁은 길길이 날뛰는 그의 모습에 장주환의 머리채를 잡아끌며 다가갔다.

“악! 아아악!”

종혁으로선 회귀 전 알게 된 인물.

“당신 원조교제 했지? 뒷돈도 두둑하게 잡쉈고.”

“뭐, 뭣?”

“기대해. 이 새끼 다음은 너 새끼니까.”

……꿀꺽.

그렇게 쓰레기 만두 파동의 진짜 내막이 드러나게 되었다.

* * *

장주환의 검거 하루 전. 그리고 종혁이 다녀가고 3일 뒤.

봉만덕 사장은 믿을 수없는 전화를 받았다.

"어, 어디요?"

다시 묻는 그의 입과 손이 떨린다.

-청주시 행복의 쉼터 재단입니다. 귀사에서 만두를 납품받고 싶어서 이렇게 연락을 드리게 됐습니다. 혹시 저희 재단에 대해 알고 계신가요?

"예, 예! 예-!"

봉만덕 사장은 몸을 벌떡 일으켰다.

알고 있다. 모를 리가 없다.

가출 청소년에게 보호하고, 기회를 주는 훌륭한 곳 아니던가.

-일단은 일주일에 2만 개씩 납품받고 싶은데 가능하실까요? 소년소녀 가장 및 편부모 가정 아이들을 대상으로 만두 빚기 이벤트도 실시할 예정이라서 식자재도 납품받고 싶은데요.

"……!"

그의 입이 떡 벌어졌다.

-……사장님? 듣고 계신가요?

"예! 듣고 있습니다! 가능합니다! 가능하고말고요!"

-다행이네요. 그럼 내일 오전 11시까지 계약할 분을 보낼 텐데, 시간 괜찮으시죠?

"얼마든지 괜찮습니다! 예, 예! 그럼 그때 뵙겠습니다!"

달칵!

봉만덕은 전화가 끊긴 수화기를 멍하니 바라봤다.

그러다 소파에 위로 털썩 무너졌다.

"이, 이게 뭔 일이야?"

꿈인지 생시인지 구분이 가질 않는다. 자신도 모르게 술을 진탕 마시고 꿈을 꾸는 것 같다.

봉만덕은 자신의 볼을 꼬집었다.

"꾸, 꿈은 아닌데. 그, 그러면 대체 왜……."

10년 거래처마저 등을 돌린 끔찍한 상황에 나타난 구원자.

"……대체 왜?"

상황이 상황인지라 아무리 생각해도 이해가 되지 않는다.

그때였다.

"사장님! 사장니임-!"

벌컥!

"무슨 일이에요, 박 전무?"

"이, 이거! 이것 좀 보십시오! 방금 전 등기로 날아온 겁니다!"

뜯어진 노란 대봉투엔 국립과학수사연구원이라고 적혀 있었다.

"먼저 확인해서 죄송하지만 일단, 일단 확인부터어-!"

이 공장의 창립 멤버인 박 전무의 호들갑에 봉만덕 사장의 머릿속이 하얗게 변했다.

떨리는 손으로 검사 결과를 받아 든 봉만덕은 털썩 무너지듯 무릎을 꿇었다.

"감사합니다……. 정말 감사합니다. 끄흐윽!"

검사 결과에 감사했고, 이 회사를 믿고 만두를 주문한 행복의 쉼터 재단에 감사했고, 참고 버텨 달라 부탁한 종혁에게 정말 너무 감사했다.

그는 마지막 '식용 가능'이란 글자가 적힌 검사 결과지를 세상에서 가장 소중한 보물처럼 끌어안으며 오열했다.

박 전무도 그의 어깨를 끌어안으며 울음을 터트렸다.

그렇게 꺼질 뻔한 생의 촛불이 다시금 타올랐다.

'정말 감사합니다, 형사님. 정말로…… 감사합니다!'

그는 이런 희망이 찾아들 때까지 버티게 만들어 준 종혁에게 너무도 감사했다.

* * *

낮 1시. 지상파라 불리는 3대 방송국 중 한 곳에서 대국민사과를 위해 긴급기자회견을 열었다.

방송국 입구, 방송국 사장이 초췌한 얼굴로 선다.

—……죄송합니다. 특종에 눈이 멀어 언론인으로서 하지 말아야 할 짓을 하고 말았습니다. 이에 깊이 통감을 하며…….

—쓰레기 만두가 가짜 뉴스였다는 걸 인정하는 겁니까!

—원본 영상은 어디 있습니까!

—장주환은 어디 있습니까!

—말을 해, 이 새끼들아! 너희가 지금 무슨 짓을 했는지 알아?! 언론인 전체를 쓰레기로 만들었다고—!

—……죄송합니다. 정말 죄송합니다. 경찰 조사를 성실히 받을 것이며…….

종혁은 수사본부에 설치된 TV를 껐다.

아주 잠시 숨 막히는 침묵이 내려앉았다.

"……브라보오!"

"아따! 기분이 거시기 해블구마잉!"

"풍악을 울려라!"

축제 분위기.

경찰이 언론을, 그것도 방송국 하나에 철퇴를 내렸다.

그것도 모자라 이번 사건에 대해 받아쓰기를 한 신문사와 다른 방송국들을 상대로도 조사가 이뤄질 예정이다.

검사 결과를 왜곡한 결과서를 만든 누군가도 마찬가지다.

그들 경찰 인생에 있어서 이런 적이 있었던가.

언제나 눈치를 봐야 했던 언론.

언론이 떠들면 꼬랑지에 불붙은 망아지처럼 튀어 나가야 했고, 분명 잘못된 것이라도 언론이 시끄러우면 손을 놔야 했다.

가슴이 터질 듯 빠근해졌고, 이성은 이미 날아가 버린 뒤였다.

짜아악! 짜아악!

종혁은 자신을 쳐다보는 형사들과 검사관들을 향해 씩 웃었다.

"자! 모두 수고하셨고, 이 다음 스케줄로 소고기 및 참치 등 풀코스 회식과 호텔 숙박이 예정되어 있으니 한 분도 빠짐없이 참석해 주시길 바라겠습니다! 이상 해산-!"

"우와아아아아!"

"뭐야! 서울은 왜 이렇게 다른 거야! 씨발, 그냥 서울로 와?!"

"부본부장 최고다-!"

"어이! 부본부장! 우리 청으로 와! 내가 잘해 줄게!"

"어? 나도-!"

"야! 방금 그 말 어떤 놈들이야-!"

그렇게 쓰레기 만두 파동 특별수사대책본부란 글귀가 떼어지게 됐다.

* * *

저벅저벅!

수많은 사람들이 오가느라 바빠야 할 경찰서.

그런데 오늘은 왠지 조용하기만 하다.

가을날 따뜻한 태양을 바라본 정정호 사장은 울 듯 웃는 듯한 얼굴로 담배를 물었다.

찰칵! 치이익!

"그 연세에 담배 피우시면 안 좋습니다."

"아."

정정호 사장은 담뱃불을 붙여 주며 짓궂게 웃는 종혁을 멍하니 응시했다. 그러다 한 발 물러서며 허리를 깊이 숙였다.

"감사합니다. 정말……."

말을 하는 와중 울컥 솟는다.

눈앞의 이 젊은 형사가 아니었다면 어떻게 됐을까.

절망하고 좌절했을 테고, 자신을 믿고 거래했던 거래처들도 모두 엄청난 피해를 입었을 거다.

어쩌면 그 충격에 그릇된 선택을 했을 사람도 있었을 거다.

'그 형사님이 그런 말을 해 줘서 버틸 수 있었습니다.'

한 거래처 사람이 믿지 못해 죄송했다고 전화해 오며 한 말.

그 때문에 알게 됐다.

파동이 일어났을 때, 눈앞의 젊은 형사가 전국 각지를 돌며 거래처를 다독인 걸.

눈앞의 이 젊은 형사는 자신뿐만 아니라 그들 모두까지 절망의 구렁텅이에서 버틸 힘을 주었고, 끝내 건져 내 주었다.

이게 너무 고맙고, 또 고마웠다.

"정말 이 보답을 어떻게 해야 할지……."

"경찰로서 당연히 할 일을 했을 뿐입니다. 제가 경찰을 대표한다고 볼 순 없지만, 이렇게 온전히 댁에 가시는 모습 그 자체가 저희 경찰들에겐 가장 큰 보답이고 선물입니다."

"형사님……."

종혁은 다시 울컥하는 그의 모습에 볼을 긁었다.

"흐흠. 자, 그럼 힘내셔서 다시 사업을 시작하셔야죠! 앞으로 번창하시길 기원하겠습니다!"

"아 그거……."

정정호는 씁쓸히 웃었다.

"이제 그만둘까 합니다."

"아니, 왜요?!"

정정호는 펄쩍 뛰는 종혁을 보며 푸근히 웃었다.

종혁 덕분에 최악까진 치닫지 않았지만, 그래도 피해가 너무 컸다.

게다가 제아무리 진실이 밝혀졌다 한들 국민들 인식은 쉽게 바뀌지 않을 거다.

'최소한 단무지는 더 이상 넣지 못하겠지.'

참 오랜 기간 연구했던 단무지 만두소.

끝내 완벽한 조합법을 찾았을 때 마치 늦둥이를 낳은 것처럼 기뻐했었다.

그때 아내와 직원들과 얼싸안고 방방 뛰던 게 아직도 선명히 떠오른다.

하지만.

"그때처럼 열정을 불태우기엔 저도 이제 나이가 들었군요."

세상 두려울 게 없던 사십대의 젊은 정정호도 이젠 어딜 가려면 지팡이를 찾아야 하는 육십대가 되었다.

세월이 무상해 서글펐다.

"사장님……."

전국 학생들에게, 없이 사는 사람들에게 맛있는 만두를 원 없이 먹게 하겠다 그런 포부를 가졌던 거인의 등이 갑자기 왜소해진다.

“허헛. 그럼…….”

고개를 숙인 정정호는 멀어졌고, 그 모습을 빤히 지켜보던 종혁은 한숨을 내뱉었다.

그의 마음을 이해 못하는 건 아니다.

하지만 너무 안타까웠다. 저런 의인이 이렇게 무기력해져 은퇴를 한다는 게.

종혁은 핸드폰을 들었다.

“예, 권 이사. 납니다. 최고식품 아시죠? 투자 좀 합시다. 신제품 아이디어는 곧 넘겨 드릴 테니까…….”

미래에 만두 시장을 장악했던 다양한 만두들.

만두는 역시 고양만두라는 말을 옛말로 만들어 버렸던 만두 전성시대를 연 만두들.

이 아이디어와 금융이라는 훌륭한 치료제라면 그도 다시 힘을 내게 될 거다.

종혁은 방긋 웃으며 회식 장소로 향했다.

* * *

짝! 짝! 짝!

“어서 와! 수고했네, 수고했어!”

“충성!”

최기룡 청장이 김종두 과장과 종혁을 양팔 벌려 맞이했다.

경찰이 언론에 철퇴를 내린 게 얼마 만인가.

군사 정권 시절에도 쉽지 않았던 일이다.

방송국 사장이 찾아와 고개를 숙였을 때의 그 희열이란.

그걸 이들이 해낸 거다.

'그것도 종혁이가!'

만약 종혁이 한발 먼저 움직여 최고식품의 거래처들을 다독이지 않았다면 어떻게 됐을까.

어쩌면 그릇된 선택을 하는 이가 나왔을지도 모른다.

종혁은 그런 이들을 구한 것뿐만 아니라, 똥통에 처박힐 뻔한 경찰의 위신마저 구해 낸 거다.

더욱이 최기룡청장은 임시 검사 결과를 받자마자 서울, 경기 지방에 있던 최고식품의 거래처와 만두 거래를 했다. 경찰서 구내식당 등 경찰 관련 조직에 모두 납품하도록.

마침 익명으로 거액의 기부금이 들어왔던 터라 뜻을 밀어붙이기가 수월했다.

이에 민생과 함께하는 경찰이라는 수식어가 붙었다.

박노형 대통령도 잘했다며 어깨를 두드려 줬다.

경찰 예산이 한 번 더 증대된 건 당연한 수순.

이러니 예뻐할 수밖에 없다.

'이것 봐, 풀어놓으니까 알아서 하잖아?'

임용된 지 고작 1년도 안 된 경찰이라는 게 믿기지가 않았다.

달그락!

그들의 앞에 따뜻한 녹차와 커피가 놓인다.

눈치를 보며 한 모금 마신 김종두의 어깨가 느슨하게

풀린다. 이제야 모든 게 마무리 됐다는 안도에 긴장이 풀린 거다.

"피곤하지?"

"아, 아닙니다!"

"아니야, 피곤할 거야."

"……?"

최기룡 청장은 낯빛을 굳혔다.

"단도직입적으로 묻지. 뭘 원하나? 사무실을 확장시켜 줄까, 아님 휴가를 줄까, 그것도 아님 상여금을 두둑하게 줄까?"

김종두와 종혁의 눈이 동그래진다.

워낙 큰 사건이라 포상을 생각하긴 했지만, 그래도 상여금 정도만 생각했던 그들은 서로를 쳐다보며 당황했다.

"지금 결정을 못 내리겠으면……."

"그냥 다 주시죠?"

샤사삭!

"……응?"

종혁은 놀라 쳐다보는 김종두를 일견하며 씩 웃었다.

"사무실, 휴가, 상여금 다 주세요. ……아, 사랑합니다, 청장님."

"나가, 이 자식아!"

* * *

"허어."

"허허."

김종두 과장과 특수범죄수사과 형사들이 종혁을 어이없다는 듯 본다.

'뭐 이런 미친놈이 다 있지?'

종혁은 그런 의미가 담긴 시선에 미간을 구겼다.

"왜요? 싫어요? 그럼 지금이라도 빠꾸 하고."

종혁이 몸을 돌리자 형사들은 다급히 그를 잡았다.

종혁은 한다면 정말 하는 놈. 정말로 얻어 낸 사무실 확장에 상여금, 휴가를 날려 버릴 순 없었다.

"아니! 싫긴 왜 싫어! 누가 싫다고 했어? 어?!"

"사랑한다, 종혁아!"

"앞으로 청장님과 거래할 땐 종혁이 네가 해! 과장님은 빠져!"

"이 자식들이? 야, 그래도 내가 과장…… 읍?!"

"그래요. 피곤하시다고요? 그럼 주무셔야죠. 자, 코오."

종혁은 고개를 저었다.

그건 이 자리에 있는 그들의 가족 역시도 마찬가지였다. 그들은 숫제 저 사람들은 일행이 아니라며 필사적으로 고개를 돌리고 있었다.

"고마워, 종혁아. 네 덕분에 이렇게 가족 여행을 다 가 보네."

"집에 들어오기라도 하면 다행이지. 이건 뭐 나가서 죽었는지 살았는지도 모르니.

"저놈의 손가락은 가족한테 전화할 때만 부러지나."

"한번 사건 터졌다 하면 함흥차사니. 그놈의 사건은 맨 날 터져요?!"

이번엔 형사들이 필사적으로 고개를 돌렸다.

종혁은 업보라며 혀를 끌끌 찼고, 고정숙은 잘했다며 종혁의 등을 두드렸다.

그때였다.

종혁의 손을 주름지고 검버섯 핀 손이 붙잡았다.

"어휴. 내가 죽기 전에 저 불효자 놈과 콧바람이나 쐴 수 있으면 다행이라고 생각했는데, 덕분에 이렇게 가네요. 그것도 딴 나라를."

그랬다. 지금 그들이 있는 곳은 인천국제공항이었다.

이 자리에 있는 건 특수범죄수사과 형사들 절반과 그 가족들.

사건 때문에 어쩔 수 없이 남아야 하는 다른 팀원들의 가족들까지 모두 데려왔다.

"앞으론 이런 기회 자주 만들도록 노력할게요, 할머님."

"어이구. 제일 젊은 분이 제일 어른이네. 제일 어른이야."

"아하하."

어색하게 웃은 종혁은 수십 명의 사람들을 봤다.

"자, 그럼 모두 여권들 챙기셨죠?"

사람들이 녹색 여권을 들어 흔든다.

"자, 그럼 모두 출발-!"

우르르 사람들이 출국 게이트를 향해 움직였다.

그러다 갑자기 이상한 쪽으로 방향을 꺾는 종혁의 모습

에 의아해했다.

"어? 종혁아, 우리 저기서 수화물을……."

"아, 우리가 갈 쪽은 그쪽이 아니에요. 저쪽이에요."

전세기 및 전용기 탑승객들만 이용하는 게이트.

사람들은 눈을 동그랗게 떴다.

그렇게 그들은 요즘 인기가 있는 여행지인 동남아, 태국으로 향했다.

•

4장. 태국에서

태국에서

태국의 대표 휴양지인 푸켓.

작은 공항의 출국 게이트를 넘는 사람들의 눈빛이 몽롱하다.

"……와."

그저 감탄사밖에 안 나오는 그들의 입.

박봉인 경찰 월급에 택시조차 쉽게 타지 못했던 그들에게 전세기의 고급 서비스는 별세계의 그것과 다름이 없었다.

"엄마, 나 다시 저 비행기 타고 한국 가면 안 돼?"

"안 돼."

"아, 왜! 저것만 타도 좋은데!"

특히 여성들의 만족도는 최고였다.

누군가의 남편, 누군가의 자식인 형사들은 그런 가족들

의 표정에 어깨가 으쓱해지는 한편, 종혁을 보며 말없이 고마워했다.

종혁은 씩 웃는 걸로 답을 대신했다.

"아들, 너무 무리한 거 아니야? 지금이라도 돈 보태 줘?"

이번 여행은 자신과 특수범죄수사과 형사들이 모은 상여금으로 해결하겠다며 당차게 말했던 종혁.

그래서 그녀로선 걱정이 들었다.

"걱정 마세요. 이 인원이 이코노미 티켓 끊는 값이나 전세기 빌리는 값이나 별로 차이 안 나니까."

아니다. 제법 차이가 난다.

하지만 그걸 알 리 없는 사람들은 놀랄 수밖에 없었다.

"기껏 비싼 돈 들여 여행 왔는데, 줄 서서 기다리는 것만큼 짜증 나는 일도 없잖아요."

"오케이. 그럼 난 신경 끈다? 돈 안 보태 줄 거야?"

"걱정 마. 아들도 돈 있어요."

"그건 알아. 그럼 안내 부탁해요, 최 가이드."

"예, 사모님! 편안한 휴가가 되시도록 이 최 가이드가 성심성의껏 가이드해 드리겠습니다!"

"하하하하하!"

"호호호호호!"

그들은 리조트에서 보내 준 픽업카를 타고 움직였다.

"와아!"

"우와아!"

높다란 야자수와 이름 모를 화초들이 가득한 리조트.

이 인원이 모두 놀아도 될 정도로 넓은 수영장과 그 앞에는 백사장이 펼쳐져 있다.

사람들은 몸을 들썩이기 시작했다.

"자자, 주목!"

모두의 시선이 종혁에게로 모인다.

"이 리조트는 휴가가 끝날 때까지 통으로 빌린 거니까 아무 방이나 골라잡으세요! 가족끼리 놀러 가는데 방해를 받으면 안 된다는 남자분들의 적극적인 의지를 반영한 거니까, 이번만큼은 돈 걱정 마시고 마음껏 즐기시길 바랍니다!"

"우와악! 아빠 최고!"

"여보!"

사람들은 여행 가방을 무슨 인형처럼 든 채 리조트 안으로 달려갔고, 형사들은 끝내 입을 열 수밖에 없었다.

"고맙다, 종혁아."

"정말 고맙다."

종혁은 코밑을 쓱 문질렀다.

"흐흐. 그럼 저희는 요거 시작 콜?"

술잔을 꺾는 시늉을 하는 종혁의 모습에 형사들은 이제 전율마저 느꼈다. 한편으론 소외될 수 있는 그들까지 챙기는 완벽함.

이건 정말 완벽한 여행이었다.

이에 그들이 할 수 있는 대답은 하나였다.

"코올-!"

* * *

"꺄아!"

"으아악!"

풍덩! 어푸어푸!

수영복을 입은 청소년들이 신이 나서 뛰놀고, 어린아이들은 엄마, 누나 보호 아래 첨벙첨벙 물장구를 친다.

비치 체어에 누운 노인들은 그런 떠들썩한 풍경에 미소를 짓는다.

"이야, 이렇게 술을 마셔 본 게 얼마 만이냐."

"술을 마셔도 잔소리를 듣지 않다니!"

"이야, 한국에 남은 사람들 이거 알면 눈에서 피눈물 흘리겠다."

"그러게 누가 가위바위보 지래?"

지글지글 고기가 구워지는 야외 레스토랑의 테라스에서 술을 마시던 형사들은 그 모습을 흐뭇하게 지켜본다.

어쩌다 사건 터져 며칠 만에 들어가면 술은커녕 씻고만 자야 했던 눈치의 나날들.

언제나 자식이 잠들어 있는 모습만 보고, 자식이 자라는 걸 손뼘으로만 재야 했던 나날들.

그들은 생동감 있게 뛰노는 가족들을 보며 울 것 같았다.

그리고 오랜만에 찾아온 진짜 휴식과 술 한잔에 모두 나른하게 늘어졌다.

"그런데 종혁아. 우리 저녁엔 어디 가냐?"

"한 4시부터 움직일 거지?"

종혁은 한숨을 푹 쉬었다.

한국인들은 이래서 문제다. 휴가를 왔으면 휴가를 즐겨야 하는데, 마치 전쟁을 하듯 전투적으로 스케줄을 진행한다.

"안 갑니다. 오늘은 리조트에서 푹 쉴 거예요."

"어? 왜?"

"야, 돈 아깝게!"

"지금 가자고 해서 뭔 원망을 들으려고요? 더 이상 술 드시기 싫으시면 그렇게 하고요."

"……아, 태국 맥주도 먹을 만하네!"

"소주는 안 파려나. 웨이터! 기브 미 소주! 두 유 노우 소주?"

종혁은 피식 웃었다.

"내일도 한 10시쯤부터 움직이기 시작할 거니까 오늘 하루는 마음 푹 놓고 쉬세요. 이곳 지리를 잘 아는 가이드도 구해 놨으니까."

"오케이!"

"자, 그럼 짠 합시다!"

"짠!"

종혁도 오랜만에 긴장을 풀고 여유를 마음껏 만끽했다.

다음 날, 한 명도 빠짐없이 조식을 즐긴 후 로비에 모인 사람들은 종혁이 불렀다는 가이드를 기다렸다.

"가이드가 친구랬지?"

"예. 전에 방콕 아시안게임 때 사귄 친구예요."

사귀었다는 말에 모두의 눈이 번쩍 뜨인다.

"여자?"

"아들, 엄마는 다 좋아."

"남자입니다, 아줌마."

남자도 보통 남자가 아니다.

방콕 아시안게임뿐만 아니라 시드니 올림픽에서도 치열하게 붙었던 상대, 태국의 유도 메달리스트 라차논.

오늘 가이드를 해 주겠다는 사람이 바로 그였다.

"혹시 갑자기 여자가 되어서 나타나고 그러는 거 아니냐? 왜? 한국에 일하러 오는 애들 중 그런 애들 많잖아."

종혁은 농담을 건네는 김종두 과장을 한심하다는 듯 봤다.

태국이 타국에 비해 트렌스젠더에 대한 편견이 없고, 트렌스젠더가 많기는 하다. 하지만 그것이 성전환을 할 이유가 되진 않는다.

무엇보다 라차논은 종혁과 비슷한 키에, 체중은 더 많이 나갔던 털복숭이 마초다.

"무슨 말도 안 되는 농담을. 절대 그럴 리가……."

뚜각뚜각!

구둣발 소리에 고개를 돌린 사람들은 우와 입을 크게 벌렸고, 종혁은 망연자실했다.

"……있네."

모델 빰치는 몸매와 종혁과 비등하게 큰 키.

분명 프랑스 혼혈의 아리따운 외모지만, 그 안에 라차논이 있다.

신장 192cm, 몸무게 136kg이었던 태국 친구가 여자가 되어 나타났다.

"최!"

"오지 마! 잠깐! 오지 마!"

"……오랜만에 만났는데 섭섭하게 이러기야?"

"그딴 표정도 짓지 말고! 확 죽여 버린다!"

"후훗. 많이 놀랐어? 나 예쁘지?"

"목소리 똑바로 해, 새끼야! 주댕이도 처넣어!"

"이 목소리?"

"억?!"

"히약!"

아리따운 미녀의 등장에 므흣한 표정들을 지었던 사람들이 두꺼운 남자 목소리에 경악한다.

"나, 남자가 맞네? 으응…… 엄마도 이해해 보려고 노력할게. 아들, 파이팅. 결혼하면 분가하자."

"아니라고-!"

종혁은 라차논을 노려봤다.

"너 뭐야! 꼴이 왜 그래!"

"네가 시드니를 마지막으로 출전 안 한다고 했잖아. 더 이상 유도가 재미없을 것 같아서 내 진짜 성정체성을 찾은 것뿐이야. 정말 그것뿐."

"아니, 너 원래 안 그랬……. 그래서 시드니 이후로 메일로만…… 와, 돌아 버리겠네."

머릿속이 뒤엉켜 말이 안 나온다.

마른세수를 한 종혁은 다시 라차논을 봤다.

"……그래. 오랜만이다, 라차논. 내 친구."

"앞으론 래빗이라고 불러 줘, 자기."

씩 웃은 종혁은 그대로 악수한 손을 잡아당기며 업어쳐 버렸다.

부지불식간이었지만 겨우 허리를 비틀어 착지한 라차논이 뚱한 표정을 짓다 굳어 버렸다.

"한 번만 더 자기라고 했다간 죽여 버린다."

"……네."

진심 어린 말투에 라차논은 장난을 그만두기로 했다.

* * *

부아아앙!

새하얀 요트 세 대가 쪽빛 바다 위를 질주한다.

관광객들이 타는 말만 요트가 아니라 진짜 요트.

끈적한 바닷바람이 맹렬히 달려와 온몸에 부딪치자 모두 기쁨의 비명을 질렀고, 요트 조타석 뒤에 있는 의자에 앉은 종혁은 그걸 보며 웃었다.

그러다 옆에서 울상을 짓는 라차논을 봤다.

얼음이 담긴 컵에 맥주를 따르려다 계속 실패하는 그.

"그럼 요즘 뭐하고 지내?"

"맨날 똑같지. 사건, 또 사건, 그리고 또 사건."

라차논도 경찰이 됐다.

시드니 올림픽 이후 경찰사관학교에 진학한 게 아니라, 이미 방콕 아시안게임 때 경찰사관학교의 생도였다.

현재 계급은 러이 땀 루어 또.

한국으로 치면 경감이다. 진급이 무척이나 빨랐다.

"태국도 똑같네."

"세계 어딜 가든 똑같지. 너 태국에서 하루에 발생하는 살인 사건이 얼마나 많은지 알면 깜짝 놀랄걸? 내가 그 꼴 보기 싫어서 여기 푸켓으로 자원한 거잖아."

"그 정도야?"

"말해 뭐해. 그런데 여기까지 놀러 와서 이런 우울한 이야기만 할 거야?"

"음?"

의아해하던 종혁은 이내 깜짝 놀랐다. 라차논이 갑자기 상의를 벗었기 때문이다.

면적이 적은 정열의 빨간 비키니에 힘들게 가려진 하얗고 큰 가슴.

"왜? 끌려?"

"겨드랑이에 수술 자국 보인다."

"뭐? 그럴 리가…… 칫!"

중지를 치켜 든 라차논은 영어로 '나도 끼워 줘, 아가씨들!'이라며 외치곤 밑으로 내려갔고, 종혁은 난간에 팔을 걸치며 턱을 괴었다.

"그런데 어떻게 방콕에서 여기까지 온 거지?"

푸켓은 태국 남쪽에 있는 섬이다.

게다가 태국 남부는 불교가 아니라 이슬람교를 믿기에 생활상마저 판이하게 다른 곳이다.

버스를 탄다면 거의 보름 가까이 걸리는 거리.

방콕의 엘리트 경찰이 올 만한 곳이 아니었다.

"……뭐 올 수 있으니까 왔겠지."

'그리고 뭔 이유가 있겠지.'

라차논의 말처럼 휴가를 왔다면 우울한 이야기는 그만해야 됐다. 종혁은 불어오는 바닷바람을 맞으며 미소를 지었다.

"좋다."

이게 바로 휴가였다.

그렇게 할리우드 영화 비치 때문에 유명해진 피피섬 관광을 마친 그들은 다시 푸켓으로 돌아와 마사지를 받고, 판타지 쇼라는 코끼리 쇼까지 관람을 한 후 야시장 투어에 나섰다.

삐이익! 빵빵!

사방에서 터지는 폭죽들.

격렬한 비트가 흘러나오는 주점에서 맥주를 마시는 관광객들, 그런 관광객들에게 특산품이나 과일을 권유하는 상인들.

그 자유로운 분위기에 얼굴이 발갛게 달아오른 일행들이 서슴없이 지갑을 연다.

"야, 이거 진짜 칼인데? 날만 갈면 완전히 칼이야."

"태국은 도검 관리법이 없나?"

'에라이.'

여기까지 와서 일 이야기를 하고 싶을까.

종혁은 병맥주를 들이켜며 무시했다.

그때였다.

"호, 혹시 남조선에서 오셨습네까?"

"응?"

종혁은 조개를 엮어 만든 목걸이나 열쇠고리 따위를 들고 있는 소년을 봤다.

얼마나 못 먹었는지 피골이 상접하고 꼬질꼬질한 소년. 이제 16살이나 됐을 법한 소년은 그보다 10살은 어려 보이는 소녀의 손을 꼭 쥐고 있었다.

"……북에서 왔니?"

탈북민이다.

'탈북민이 자유를 찾아 태국, 그 너머까지 도망친다는 소리는 들었지만…….'

형사들의 표정이 무너진다.

갑작스레 찾아온 분단의 아픔이 그들의 가슴을 헤집는다.

"가, 같은 동포인데 사정 좀 봐주시라요."

"……그래. 다 해서 얼마니? 모두 살게."

순간 소년의 얼굴이 일그러진다.

"됐습네다. 동정은……."

"오라바니, 집엔 언제 갑니까? 순희는 배가 고파요."

"……."

종혁은 입을 꾹 다무는 소년의 모습에 무릎을 숙여 눈을 마주쳤다.

"아저씨 일행들이 좀 많은데, 혹시 물건 더 없니?"

"지, 지금은 없습네다!"

"그래? 그럼 그것만 줘."

종혁은 형사들에게 시선을 줬고, 바로 알아들은 그들은 인의 장막을 쳤다.

보호자조차 없어 보이는 아이들에게 큰돈은 오히려 화근이다. 그래서 인의 장막을 친 거다.

그제야 종혁은 지갑에 있는 지폐를 전부 꺼내 소년이 허리에 찬 낡은 힙색에 쑤셔 넣었다.

"이건 너무 많습네다! 치우시라요!"

"꼬마야."

진지한 종혁의 얼굴에 불같이 화를 냈던 소년이 입을 다문다.

동정은 단 한 점도 없이 진지함만 가득한 눈.

"너 혼자라면 상관없지만 홀몸이 아니잖아. 지킬 것을 위해 자존심을 버리는 건 결코 부끄러운 일이 아니야. 가장으로서 마땅히 지녀야 할 책임감이지."

"책임감……."

소년은 똘망똘망한 눈으로 쳐다보는 동생을 바라보다 눈을 질끈 감고 힙색의 지퍼를 잠갔다.

"가, 감사합네다."

"앞으로 이틀 동안은 푸켓에 있을 테니까 혹여 도움이 필요하거나, 한국에 오고 싶으면 거기 전화번호로 연락해."

"아니……."

반론은 듣지 않겠다는 듯 머리를 헤집은 종혁은 몸을 일으켜 돌아섰다.

"자, 가시죠."

"에이, 씨부럴. 통일은 대체 언제 되는 건지."

"되긴 된답니까?"

"내가 아냐. VIP나 아시겠지."

소년은 멀어지는 종혁의 넓은 등을 멍하니 응시했다.

"오라바니, 배고픕네다. 내 말 안 들립네까?"

"……뭐 먹고 싶니? 오늘 우리 순희 먹고 싶은 거 다 먹자."

"일없습네다. 저기 망고라는 것만 하나 사 주시라요. 저게 무슨 맛인지 정말 궁금했습네다."

"그래, 먹자. 배 터지게 먹자야."

'그리고…….'

소년은 저 멀리 높게 세워진 호텔을 보며 눈을 빛냈다.

'드디어 갈 수 있겠구나야. ……큰누나, 내가 곧 가겠습네다. 조금만 기다리시라요.'

소년은 주먹을 꽉 쥐었다.

* * *

이른 새벽의 리조트.

이방 저방에서 흘러나오는 코 고는 소리만이 새벽의 적막을 깬다.

스읍! 스읍!

슬리퍼를 끌고 나온 종혁은 비치 체어에 앉아 담배를 물었다.

"푸후우."

어스름히 번져 가며 어둠을 쫓는 햇빛.

수평선 끝에 걸려 있는 잿빛 구름이 어깨에 들어찬 긴장을 잠시 덜어 냈다.

무슨 생각을 하는 걸까.

먼 하늘을 망연히 바라보는 종혁의 입가엔 미소가 맺혀 있다.

스읍! 스읍!

"그만 좀 펴."

복숭아 향기를 풍기며 다가온 라차논이 담배를 뺏는다.

고개를 돌려 그녀를 멍하니 본 종혁이 새 담배를 꺼내 든다.

그리고 다시 뺏긴다.

"폐암 걸려서 고생하려고?"

"네가 내 와이프냐."

"친구로서 걱정하는 거야."

정말이라는 듯 화가 은은히 스며 있는 눈을 본 종혁은 어쩔 수 없이 모닝 담배를 포기하기로 했다.

"어제 그 소년, 소녀 때문이야?"

“……뭐 그런 것도 있고.”

그저 이런 적막이 좋을 뿐이다.

생각을 안 해도 되니까.

생각이 많아지려다가도 사라져 버리니까.

하지만 라차논의 방해로 다시 온갖 생각이 떠오른다.

몸을 일으킨 종혁은 상의를 벗으며 수영장 안으로 몸을 날렸다.

풍더엉!

수영장을 가로지른 종혁은 몸을 뒤집으며 눈을 감았다.

두근두근!

물에 잠긴 귀 안에서 울리는 심장 소리.

다시 찾아온 적막에 종혁은 미소를 지으며 눈을 감았다.

“흐음.”

라차논은 그런 종혁을 가만히 응시했다.

전에도 여실히 느꼈지만 아름답다 못해 경이로운 신체.

방심을 해 버리면 또 이렇게 넋이 팔려 버리고 만다.

“……대체 그동안 무슨 일이 있었던 거니.”

예전의 종혁은 이렇지 않았다.

조금 더 여유로웠고, 다정했다.

하지만 지금의 종혁은 뭔가에 쫓기듯 날이 서 있다.

어제 일을 비추어 보면 여전히 다정하지만…….

“사건 때문일까?”

‘아니면…… 그 러시아 때문일까.’

러시아 정보국과 깊은 연관이 있다는 종혁.

지이잉! 지이잉!

핸드폰 발신 번호를 본 그녀는 몸을 일으켰다.

"응. 나야. 아, 그래? 타깃이 움직였다고? ……그 호텔로?"

라차논의 눈이 빛났다.

"알았어. 계속 주시해."

전화를 끊은 그녀는 여전히 수영장 위에 떠 있는 종혁을 보며 금방이라도 불이 꺼질 듯한 담배를 입에 물었다.

'무슨 일 때문인지 모르겠지만 부디 여유를 찾기를 바랄게, 친구.'

"후우우."

두 사람의 숨결이 담긴 연기가 허공으로 흩어졌다.

* * *

3일 차 스케줄은 그렇게 빡빡하지 않았다.

래프팅을 하고 내려와 마사지.

여성들은 쇼핑을 위해 움직였고, 남성들은 12살 미만 아이들과 동물원 투어에 나섰다.

술을 마시지 못하게 된 남성들의 불만만 빼면 모두가 만족스런 스케줄이었다.

그런데 그게 문제였던 것 같다.

"……삼촌 형님들. 애들 좀 데려가실래요?"

종혁의 양다리와 옆구리에 찰싹 달아붙어 떨어질 생각을 안 하는 아이들.

동물원 구경 중 허리가 아픈 형사들을 대신해 목마를 몇 번 태워 줬더니 그 이후로 껌딱지가 되어 버렸다.

“웃지만 말고요!”

“왜? 보기 좋구만.”

“아니…….”

“삼촌, 혜진이 싫어요?”

고개를 들어 촉촉이 젖은 눈으로 바라보는 아이들.

“애들아, 이제 아홉 시인데 안 자니…….”

“싫어요?”

“……목마 태워 줄까?”

“응!”

“나도, 나도!”

한숨을 푹 내쉰 종혁은 네 명을 한꺼번에 어깨 위에 올렸고, 아이들은 꺄르르 웃었다.

“어휴. 종혁이가 애들을 좋아하네. 애들도 잘 따르고.”

“그러게. 좋은 아빠 되겠어!”

주위에 줄 선물을 모두 사서 기분이 좋던 여성들이 은근한 눈으로 고정숙을 본다.

경찰대학교를 졸업해 사고만 안 치면 승승장구할 종혁. 거기에 몸도 좋고, 돈도 많다.

‘형사 사위는 절대 안 되지만, 종혁이 정도라면…….’

고정숙은 속으로 코웃음을 쳤다.

‘꿈 깨세요. 후보만 셋이랍니다.’

소영이, 현희, 이리나.

엄마로서의 촉이 외치길 한 명 더 있는 것 같지만, 누군지는 모른다. 또 내일 보자며 돌아간 라차논도 있다.

종혁은 관심 없는 듯하지만 라차논은 아니었다.

'잘난 아들을 데리고 사는 것도 피곤하네…… 응?'

지이잉! 지이잉!

"아들! 전화!"

"예!"

살았다 아이들을 내려놓고 달려온 종혁은 얼른 전화를 받았다.

"예, 최종혁……."

—아주바이!

다급한 부름에 종혁의 몸이 굳었다.

북한 말투의 여자아이.

종혁의 머릿속에 어제 봤던 순희란 아이가 번뜩 떠오른다.

"지금 어디야!"

모두가 종혁을 쳐다봤다.

* * *

푸켓에서 꽤 유명한 호텔의 복도.

1404호 앞에 선 유니폼을 입은 태국 남성이 제법 멀끔한 차림의 소년, 순철을 본다.

"텐 미닛. 오케이?"

"땡큐. 땡큐."

주위를 두리번거린 태국 남성은 마스터키로 1404호의 문을 열었고, 순철은 어제 받은 돈 중 3분의 1을 그에게 넘긴 후 얼른 순희와 함께 방 안으로 들어갔다.

문을 닫은 태국 남성은 그때부터 손목시계를 보기 시작했다.

안으로 들어온 순철은 재빨리 침대 근처부터 뒤졌다.

"어디네. 대체 어디에 있는 기야."

주 태국 북한대사관의 직원이었던 큰누나 순영이 갑자기 사라지면서 집안이 풍비박산 났다.

아버지와 어머니는 교화소에 끌려갔고, 순철과 순희는 부모님이 목숨을 걸고 막아 준 덕분에 겨우 도망칠 수 있었다.

그때 그의 가족들을 잡으러 왔던 보위부 대원이 말하길, 큰누나 순영이 외국 남자와 도망을 친 반동분자라 했지만 순철은 믿지 않았다.

큰누나 순영이 가족들에게 말도 없이 사라질 사람이 결코 아니었으니까.

그래서 순철은 목숨을 걸고 조국을 탈출했다. 큰누나를 찾기 위해.

의인의 도움덕분에 어렵사리 태국에 도착했고, 북한대사관 직원들이 자주 간다는 카페에서 누나 순영이 남긴 흔적을 발견했다.

-이것 봐라, 철아.

-이게 뭐네?

—이 누나가 너무 예뻐서 이놈, 저놈 다 나만 보지 않네? 그동안 우리 철이, 누나가 못 놀아 줘서 많이 섭섭했지? 이제 누나랑 놀자야.

—돌았네?

국가에서 해외로 유학을 보낼 만큼 천재였던 누나.

그래서 천재성을 드러낸 어릴 적부터 보위부의 감시가 따랐고, 그들 가족은 정말 사소한 이야기조차도 맘 편히 나누지 못했다.

누나가 유학을 갔을 땐 편지마저 검열을 당했다.

그래서 누나 순영은 가족끼리 맘 편히 대화할 수 있는 암호를 만들었다. 어머니와 아버지는 통 이해를 하지 못했지만, 순철은 곧잘 써먹었다.

이후 이 암호는 둘만의 대화 체계가 되었다.

그걸 본 순간 확신하게 됐다. 누나 순영은 남자랑 도망친 게 아니란 걸.

누나 순영은 미행을 당하고 있었다.

누군가에게 쫓겼고, 이를 상부에 보고했다.

그리고 사라져 버렸다.

그를 통해 순철은 한 가지 가설을 세웠다.

누나가 알지 말아야 할 무언가를 알게 됐고, 북한이 누나를 팔아넘긴 것이라고.

그리고 그 일에 태국까지 얽혀 있을지도 모른다고 말이다.

그에 순철은 직접 태국 전역을 뒤지기로 결심했고, 2년이라는 시간 끝에 치앙마이란 도시에서 누나의 흔적을 찾을 수 있었다.

그리고 그 흔적를 쫓아 도착한 푸켓의 호텔.

분명 이 안에 있을 거다.

누나가 남긴 암호가.

'찾았다.'

역시 있었다.

화장대 서랍장 안쪽에 쪽지가 붙어 있었다.

그것을 얼른 펼쳐 확인한 순철의 표정이 딱딱하게 굳었다.

누나가 여기까지 도망친 이유가 적힌 쪽지.

섬뜩!

'마, 만약 이게 진실이라면?'

순철은 다급히 커튼을 걷어 창밖을 봤다.

빠르게 호텔 아래를 살핀 순철은 침대에 얌전히 앉아 있는 순희의 손을 잡았다.

"오라바니, 이제 가는 겁니까? 이제 언니 보는 겁니까?"

"그래, 가자! 얼른 오라!"

'여기서 도망쳐야 해!'

다급히 방을 빠져나간 순철은 문 앞을 지키고 있는 태국 남성에게 입을 열었다.

"오, 이제 일 다……."

"이 호텔을 몰래 빠져나가려면 어떻게 해야 합니까."

"아, 그건…… 응? 너?!"

태국 남성은 경악했다. 순철이 너무도 능숙한 태국어로 말해서였다.

방금 전까지 허접한 영어로만 대화를 나눈 순철.

"몰래 빠져나가게만 해 준다면 이것만큼 더 드리겠습니다."

혼란스러웠던 태국 남성은 천 바트 열 장과 순철을 번갈아 보고 낯빛을 굳혔다. 귀신을 본 듯 하얗게 질려 있는 얼굴.

"……따라와."

그들은 호텔 지하의 세탁물 집하장으로 향했다.

부우웅!

침대보 따위를 가득 실은 밴이 도로를 달리다 멈춰 선다. 운전석 문을 열고 나온 태국 남성은 담배를 물며 주위를 둘러봤다.

허름한 상점 따위만 몇 개 늘어서 있는 도로.

텅텅!

그는 밴을 두드렸다.

그러자 산처럼 쌓인 세탁물이 들썩이더니 순철과 순희의 얼굴이 솟아올랐다.

그들은 문을 열고 밖으로 나갔다.

"고맙습니다."

"됐어. 그걸로 동생 맛있는 거 사 줘."

지킬 것을 위해 자존심을 버리는 건 결코 부끄러운 일이 아니다.

꾸벅.

허리를 깊이 숙인 순철은 순희의 손을 잡았다.

"가자, 순희야."

곧바로 도심지로 돌아와 쪽지에서 말하는 장소에 도착한 순철은 어이없다는 듯 웃었다.

등잔 밑이 어둡다는 게 이런 걸까.

당장 어젯밤까지 구걸을 했던 그 길이다.

선셋 로드.

관광객들이 모이는 유흥가.

순철은 밤이 되면서 다시 시끄러워진 거리의 한 술집으로 들어갔다.

"헤이, 키드……."

"순영 누나를 찾으러 왔습니다."

너무도 어린 순철과 순희가 들어오려고 하자 만류하려던 바텐더가 입을 다문다.

그러며 신기해한다.

"정말 왔네?"

"어디 있습니까, 제 누나는."

"모르지."

"무슨……."

"그녀가 남긴 건 이것뿐이거든. 자신을 찾는 사람이 있다면 이걸 주라면서."

툭!

바텐더가 바 아래서 손바닥만 한 작은 수첩 한 권을 꺼낸다.

"무슨……."

수첩 안에 적혀 있는 시처럼 보이는 글귀.

그 시에는 누군가의 인상착의와 이름 등을 의미하는 암호가 담겨 있었다.

여태껏 다음 행선지에 관한 암호가 적혀 있었는데, 느닷없이 누군가의 인상착의만 적혀 있다니?

어떤 불길한 생각이 그의 몸을 감쌌다.

그러나 순철은 내색하지 않은 채 침착한 모습으로 바텐더에게 고개를 숙여 인사했다.

"고맙습니다."

"그래. 잘 가고."

해맑게 손을 흔드는 바텐더를 뒤로한 순철은 입술을 깨물며 술집을 나섰다.

그때였다.

"오라바니…… 보위부."

"응?"

고개를 든 순철은 순희가 가리키는 방향을 보고 숨이 멎는 걸 느꼈다. 이 거리에 어울리지 않게 검은 양복을 입은 사람들이 다가오고 있다.

순철은 본능보다 빨리 순희를 안아 들었다.

"잠깐!"

* * *

"헉! 헉!"

거미줄처럼 복잡한 골목을 순철이 내달린다.

삐익! 삑!

사방에서 들려오는 호루라기 소리.

몰이를 당하는 중이다.

입술을 깨문 순철은 집과 집 사이 틈 사이로 순희를 밀어 넣었다.

"우리 순희 혼자서도 잘 살 수 있지?"

"어디 가십니까! 나도 데려가시라요!"

"이래야 너랑 나 둘 다 산다. 이 오라비가 해 뜰 때까지 안 오면 여기로 연락해라. 약속할 수 있지?"

순철은 부유한 남조선 사람이라 접근했던 종혁에게 받은 명함과 돈을 모두 순희에게 쥐여 줬다.

"……알았시오."

고개를 끄덕인 순철은 그대로 달음박질을 쳤다.

'아주바이, 부디 우리 순희만은 살려 주시라요!

그리고 잠시 후.

투다다닥!

"어디네!"

삐익! 삑!

"저깁니다!"

"가자!"

뛰는 소리가 멀어지자 건물과 건물 사이에서 순희가 기어 나온다. 순철은 해 뜰 때까지 기다리라고 했지만 그럴 수가 없다.

"오라바니……."

명함과 돈을 꼭 쥔 그녀는 순철이 사라진 방향을 보며 발을 동동 구르다가 반대 방향으로 호다닥 달음박질을 쳤다.

한편 결국 막다른 길에 몰린 순철은 헛웃음을 터트렸다.

제법 널따란 공터.

3개의 입구 전체에서 달음박질 소리가 들리더니 곧 4명의 사람이 쏟아진다.

총 7명. 더 이상 도망갈 구멍이 없다.

"헉! 헉! 이 간나 새끼. 오랜만에 땀나게 하고 있어."

"후우우. 어이, 순철 동무. 그거 날래 가지고 오라. 누나 만나야 하지 않갔어?"

포위망을 좁히는 요원들의 모습에 순철은 절망을 느꼈다.

'순희야…….'

아무래도 여기까지인가 보다.

이를 악문 순철은 수첩을 뒤로 돌렸다.

"누나부터 데려오라! 그럼 주갔어!"

"하아. 그 누나를 찾기 위해 그 수첩이 필요하다. 그러니 얼른 가져오라."

"가을 뻐꾸기 날리는 소리 말라! 인민의 적인 간나들아! 내 너희를 믿을 것 같네?!"

요원들의 미간이 좁혀진다.

뭔가 이상한 말.

"그거이 무슨 말이야? 인민의 적?"

"……아무래도 우리가 순영 동무를 팔아넘겼다 그리 오해하는 거 같지 않습니까?"

"뭐?"

그들은 어이없다는 듯 순철을 봤고, 순철은 이를 악물었다.

"뻔뻔하구나야! 그 두툼한 배때지를 만들기 위해 인민을 팔아먹고도 후라이까는 거이네?! 네들이 그러고도 정찰총국이라고 할 수 있갔어?!"

"아니……."

삼십대 초반의 사내는 머리를 벅벅 긁었다.

대체 이 오해를 어디서부터 풀어야 할까.

"야. 컴퓨터열중자는 원래 저렇게 상상력이 창조적이네?"

요원들은 어깨를 으쓱였다.

"하아. 순철 동무, 무슨 오해를 하는지 이해하겠는데 그런 거 아니다. 교화소에 잡혀간 네 아바디, 오마니도……."

덜컥!

순철은 온몸의 피가 빠져나가는 걸 느꼈다.

"우리 오마니, 아바디는 어떻게 한 거네-!"

삼십대 사내는 처절하게 울부짖는 순철의 모습에 얼굴을 쓸어내렸다.

"됐다. 그냥 뺏어 오라. 우리가 언제부터 말로 했네?"

"……미안하다, 동무. 사감은 없어. 진정되면 이야기하자."

순철은 다가오는 대원들을 노려보며 피눈물을 흘렸다.

'오마니, 아바디, 순영 누나…….'

추수를 마치고 한바탕 웃던 가족의 모습이 스쳐 지나간다.

평상에 앉아 술 한잔 기울이던 아버지. 그런 아버지에게 고사리나물을 곱게 무쳐 주던 어머니와 누나 순영. 뭐가 그리 좋은지 마당을 뛰어다니며 웃던 순희.

이제 다시 못 볼 그 모습.

'순희야, 약속도 못 지키는 나쁜 오라바니는 잊고 남쪽에서 씨름꽃처럼 곱게 살아라.'

마지막을 직감한 순철은 이를 악물었다.

그 순간이었다.

"오케이, 거기까지-!"

종혁이 거친 숨을 진정시키며 공터 안으로 들어온다.

"어후. 쎄빠지네."

"후욱! 후욱! 주, 죽을 것 같아."

"그러니까 운동 좀 하시라니까."

"시끄러워."

종혁뿐만 아니라 김종두 과장과 형사들도 함께 들어온다.

"……아주바이?"

'대체 어떻게?'

종혁은 이쪽을 멍하니 보는 순철을 향해 손을 흔들었다.

"여어."

"너흰 뭐네?"

'쳇!'

모른 척 순철에게 다가가던 종혁은 막아서는 정찰총국 요원들의 행동에 혀를 찼다.

그러다 히죽 웃었다.

"나? 대한민국 경찰청 특수범죄수사과 소속 경위 최종혁."

"……남조선 경찰?"

삼십대의 사내는 한숨을 길게 내쉬었다.

하다하다 이젠 남한의 경찰과도 얽히고 있다.

"네들이 생각하는 그런…… 아니, 됐다. 정찰총국의 일이다. 외교 문제 일으키고 싶지 않으면 끼어들지 말라. 뭐하네? 날래 가져오라!"

움찔!

'정찰총국? 외교 문제?'

정찰총국이라하면 북한의 정보국이다.

한국의 국정원 같은 곳.

김종두의 낯빛이 하얗게 질리고, 다른 형사들의 표정도 어두워진다.

'지랄 염병 났네.'

종혁은 순철을 봤다.

희망을 포기하려는 지 자조적인 미소를 짓는 그.

그 모습을 보자 울컥한다.

고작 16살 정도로 보이는 소년이 대체 무슨 죄를 저질렀기에 정찰총국에서 잡으러 온 걸까.

일단 단순한 탈북 문제가 아닌 건 깨달았지만, 고작 십대다.

어젯밤 꾀죄죄한 모습으로 구걸을 하던 소년과 순희의 모습이 머릿속을 스친다.

'이 어린것들이 뭐가 그리 간절해서 여기까지 온 걸까…….'

"니미럴. 과장님, 이거 제가 사고 치는 겁니다. 과장님과 삼촌들은 여기 안 계신 거예요."

"뭐? 야, 잠깐……."

"어이, 꼬마야."

"……."

"살려 주랴?"

"……!"

순철은 고개를 들고, 순간 불안함을 느낀 삼십대 사내는 다급히 외쳤다.

"더 이상 입 열지 말라! 외교 문제 일으키고 싶네?"

"꼬마야!"

순철은 간절히 쳐다보는 종혁의 모습에 살포시 웃었다.

'저런 아주바이라면 순희는 잘살겠구나야.'

그거면 되었다.

순철은 밝게 웃었다.

"순희를 부탁드립네다."

"오케이!"

"진짜아! ……뭐하네! 저 아새끼들도 치우라!"

결국 폭발한 조장의 말에 정찰총국 요원들이 품 안에서 짧은 단봉을 꺼내 들었다.

그에 다급히 품 안으로 손을 가져갔던 형사들이 낭패

어린 표정을 짓는다. 휴가라 좋은커녕 목단봉도 없다.

그러나 종혁은 사납게 웃었다. 그리고 하늘에 대고 크게 외쳤다.

"라차논-! 언제까지 지켜보고 있을 거냐! 이러다 네 친구 맞아 죽는다-!"

"뭐?"

"응?"

공터에 모인 사람들이 갑작스런 태국어에 당황할 때였다.

타다다다닥!

사방에서 들리는 발소리.

깜짝 놀라 주위를 향해 총구를 겨눴던 정찰총국 요원들은 이내 곧 출입구에서 쏟아지는 검은색 옷의 군인들과 그들이 든 소총에 양손을 들 수밖에 없었다.

"프리즈! 돈 무브!"

순간 침묵이 내려앉은 공터에 뚜각뚜각 묵직한 구둣발 소리가 울린다.

그리고 특공대 옷을 입은 라차논이 입에 담배를 문 채 모습을 드러냈다. 그녀는 웃는 눈으로 정찰총국 요원들을 노려봤다.

"지금부터 이 현장은 우리 NIA가 통제한다. 모두 손들어."

태국 국가정보국 NIA.

"네들은 또 왜 나오네-!"

태국 내의 범죄는 태국에서 해결한다는 이유로 주 태국 북한대사관 근처에서부터 순철의 확보를 방해했던 NIA.

"Hi? 오랜만이야?"

'음?'

종혁은 왠지 심각해 보이지 않는 둘의 분위기에 고개를 모로 기울였다.

* * *

상황은 빠르게 정리됐다.

그리고 종혁은 아주 큰 오해가 있다는 걸 깨달았다.

"인신매매?"

종혁의 표정이 딱딱하게 굳는다.

특수범죄수사과 형사들도 마찬가지다.

"외국인을 무작위로 인신매매를 해서 남자는 가족에게 돈을 뜯어내고, 여자는 콜걸로 쓰고 있는 조직을 쫓고 있는 중이야. 계속 위치를 옮기고, 연락처도 계속 바꾸는 통에 두목 얼굴이나 조직원의 구성조차 불명인 정체불명의 조직이지."

놈들이 범죄 행각을 벌인 건 3년 전부터다.

꼬리를 잡을 뻔했으나 번번이 놓친 것만 수차례.

정말 이가 갈리는 놈들이었다.

종혁은 경찰총국의 조장을 봤다.

그는 한숨을 탁 내뱉었다.

"북조선도 3명이나 납치됐다."

해외로 파견되는 사람의 숫자가 적은 북한. 그중에서 3

명이나 납치를 당한 거다.

"그래서 우리가 나선 거다. 그러니 NIA는 빠져라."

"어이, 여긴 태국이야. 어디 허락도 받지 않은 놈들이 남의 나라에서 분탕을 치려고 해? 너희만 아니었다면 우리도 개입 안 했어!"

"……이래서 자본주의 미국 놈들 말은 상스러워. 이렇게 위아래가 없잖나?"

"뭐야?"

종혁은 얼떨떨한 표정으로 수첩 속 암호를 해석하고 있는 순철을 봤다.

"그러니까 정리해 보자면……."

태국 내에서 분탕을 치는 인신매매 조직에게 태국 경찰들이 물을 먹던 와중에 순철이 등장했다.

처음에는 혹시 순철이라면 뭔가 알고 있을까 미행을 붙였다. 그런데 누나를 찾는다고 움직이던 순철의 행적을 누가 봐도 뭔가 이상했다.

식당, 호텔, 그리고 술집 등등.

연관성이라고는 전혀 없는 장소들을 드나드는 그 모습에, NIA와 정찰총국은 그제야 암호의 존재에 대해 알게 된 것이다.

뒤늦게 NIA와 정찰총국은 서둘러 순철에게 접근하려 했다.

하지만 그때마다 서로를 방해하며 견제했고, 그 탓에 두 집단 모두 좀처럼 순철과 접촉할 기회를 얻지 못했다.

그리고 지금의 상황까지 이른 것이다.

“이거 맞지?”

“응.”

“자본주의에 물든 남조선 경찰답지 않게 똑똑하군.”

종혁은 둘을 한심하다는 듯 보았다.

“애초부터 공조를 했으면 될 일 아니야?”

그럼 이렇게 얼굴을 붉힐 일도 없었을 거다.

“공화국의 자존심과 연결된 문제다! 어찌 공화국의 일을 남의 손에 맡긴단 말인가!”

거기다 순영은 다음 행적에 대한 암호를 남겼다.

이는 그녀가 국가에 보내는 구조 신호였다.

“들었지?”

‘……지랄한다.’

정찰총국이나 NIA 입장을 이해 못하는 건 아니지만…….

“그럼 순철이와 순희가 그동안 겪은 고통은?”

순간 종혁의 눈이 사나워진다.

“저 어린 것들이 당신들 두 조직의 자존심 싸움 때문에 길거리를 전전하며 온갖 고생을 한 건 어쩔 건데?”

말을 하다 보니 울컥 뜨거운 게 솟는다.

이들이 자존심 싸움을 하지 않았다면 북한이, 자신의 나라가 누나를 팔아먹었다는 오해를 하지 않았을 거다.

순철의 표현을 빌리자면, ‘공화국을 좀먹는 돼지들이 인민을 팔아 제 살을 찌우려고 했다’.

최소한 이런 참담한 오해는 하지 않았을 거다.

거기다…….

"지금도 그 인신매매 조직에 사로잡혀 고통받고 있을 피해자들은 어쩔 건데! 이 철없는 새끼들아-!"

"아, 아니, 나름 편의는 다 봐줬……."

변명을 하려던 라차논은 종혁의 눈빛에 입을 다물었다.

종혁은 정찰총국의 조장을 봤다.

"공화국의 자존심? 지랄 염병을 하세요. 그 공화국도 저 국민들이 있기에 존재하는 거예요, 이 븅신아."

"……어이, 남조선 경찰. 말 함부로 하지 말라."

"꼬우면 한판 붙든가. 어때? 계급장, 나이 다 떼고 한판 붙어?"

"하!"

정찰총국 조장의 눈빛이 살벌해진다.

"죽고 싶네?"

"죽여 보든가."

사납게 웃은 종혁은 한 발 뒤로 물러났고, 정찰총국의 조장도 재킷을 벗었다.

"리동수다."

종혁은 중지를 세우는 걸로 대답을 대신했다.

그 일촉즉발의 상황에 다급히 형사들과 정찰총국 요원들이 달려들었다.

"에헤이! 왜 갑자기 싸우려고 해!"

"가만있으시라요. 왜 저런 허약한 얼빵이와 싸우려 합네까? 령도자 동지의 위대함을 어찌 저런 부르주아들이 알갔습네까?"

"뭐? 허약한?"

"맞지 않네? 자본주의에 물든 너희 남조선 아새끼들이 정찰총국의 특급전사를 이길 수 있갔어?"

"하, 나 이 씨발. 야, 종혁이 놔 봐. 오늘 저 북한 새끼들 모가지 꺾고 금의환향한다."

뿌득뿌드득.

한국 형사들과 정찰총국 요원들이 사납게 웃으며 자세를 잡았고, 공터에 살벌한 기운이 내려앉았다.

그때였다.

"나왔습니다! 이름…… 응?"

달려오던 NIA 요원은 심상치 않은 분위기에 눈을 데구루루 굴렸고, 남북태 사람들은 그를 주목했다.

형사들과 정찰총국의 요원들은 좀 이따가 보자고 노려보며 요원에게로 향했고, 라차논은 그 요원을 향해 입을 열었다.

"그래서 이 나라의 이름에 똥칠을 한 자식의 이름이 뭐야?"

요원은 다급히 이름을 말했고, 사람들은 그의 이름을 입안에서 읊조렸다.

하지만 요원의 말은 아직 끝나지 않았다.

"그런데…… 저희가 파악한 거 말고도 피해자가 더 있는 것 같습니다."

두목부터 말단 조직원까지의 신상이 적혀 있던 수첩.

그런데 그 끝자락엔 이들 외에도 다른 이름들이 적혀 있었다.

"이름 정동영. 32세. 한국 회사원. ……사망."

"한국?"

모두의 시선이 종혁과 형사들에게 돌아갔다.

어느새 그들의 낯빛이 딱딱하게 굳어 있었다.

* * *

"어! 난데! 태국에서 실종신고된 거 있는지 찾아 봐! 이름 정동영!"

"김소영! 23세! 여대생!"

"예, 청장님! 저 김 과장입니다! 아무래도 태국에서 좀 더 있어야 할 것 같아서 연락드렸습니다!"

특수범죄수사과 형사들 전원이 핸드폰을 붙들고 외친다.

한국 국적의 피해자만 무려 11명.

피해자가 이렇게나 발생했는데도 몰랐다는 것에 그들은 부끄러움과 분노를 느꼈다.

이런 피해자가 있다는 것도 모른 채 휴가를 즐겨서 더.

그건 종혁도 마찬가지였다.

종혁은 벌겋게 달아오른 눈으로 라차논과 리동수를 쳐다봤다.

"공조합시다. 못하겠다면 우리는 따로 움직이고."

그땐 결코 이들을 봐주지 않을 거다.

수사에 방해가 된다면 싹 다 앉은뱅이로 만드는 한이 있더라도 불도저처럼 밀고 나갈 거다.

그러다 쫓겨나면 돈으로 난장을 피울 거다.

돈으로 사람을 사고.

돈으로 이들을 방해하며 놈들을 쫓을 거다.

종혁의 이런 각오를 느낀 라차논과 리동수는 혀를 찼다.

종혁에게 빚이 있는 태국과 자본주의에 타락한 국가라고 폄하하지만 한국이 결코 만만치 않다는 걸 아는 북한.

둘이 내놓을 답은 하나밖에 없었다.

"순철 동무나 내놓으라."

종혁은 순철을 봤다.

라차논과 리동수의 시선을 느끼고 시선을 피하는 그.

당연한 반응이다.

누나가 남긴 단서를 찾은 후 이런저런 의인들의 도움을 받으며 힘들게 푸켓까지 왔는데, 알고 보니 그게 모두 NIA의 수작이었다.

제대로 알아보지도 않고 부모님을 잡아가다 못해 그들로 하여금 결국 탈북을 결심하게 만든 북한은 말할 것도 없다.

지금 순철은 누구도 믿지 못하는 상황일 게 분명했다.

그저 누나를 찾기 위한 일념 하나로 협조하고 있을 뿐.

"그건 이놈들 잡고 이야기합시다."

"어이, 남조선."

"이봐, 리동수 씨. 내가 너희 북한을 어떻게 믿고 재를 맡기는데?"

언제나 한 입으로 두말하는 북한.

벌겋게 달아오른 리동수는 종혁을 죽일 듯 노려봤다.

"……일 끝나고 꼭 보자."

"그러든가."

코웃음을 친 종혁은 순철을 옆으로 끌어당기며 라차논을 봤다.

"그런데 내가 진짜 궁금한 게 있는데."

"뭔데?"

"3년 전부터 활동한 이 새끼들이 너무 은밀히 움직이는 바람에 태국 경찰과 정찰총국, 한국 경찰들이 물먹고, 정체도 파악 못하고. 그래서 여기 순철이가 유일한 희망이었고. 그래. 다 알겠다 이거야. 그런데……."

종혁은 순철의 양 귀를 막았다.

"이 새끼들이 납치한 여성들로 성매매를 시킨다는 건 대체 어떻게 안 거냐?"

종혁은 라차논과 리동수를 빤히 응시했다.

아직 둘이 오픈을 하지 않은 게 있었다.

* * *

태국 어느 주택가의 2층 주택.

2층 창가의 방에서 몇 명의 태국인들이 빠르게 키보드를 두드리고, 모니터에선 화려한 빛들이 쏟아진다.

타다다다닥!

"오픈까지 5분 남았습니다."

"IP 우회했습니다!"

한 태국인의 말에 그들의 뒤에 서 있던 사십대 태국인이 박수를 친다.

"자, 5분 후에 사이트 열고 회원들에게 문자 보낸다."

다크웹. 결코 검색에 걸리지 않는 사이트 주소를 알리는 문자다.

회원들은 이 사이트에서 사진을 통해 마음에 드는 여성을 고르고, 이쪽에서 예약한 호텔 등에서 아가씨와 원하는 연애를 하게 될 거다.

"회원 명단 확실하게 검토했지?"

지금까지 경찰이 추적을 해 온 게 몇 번이던가.

모두 회원들이 배신을 해서다.

어차피 운반책이야 걸려도 이쪽에 닿을 수 없는 놈들을 쓰지만, 계속 잘라 내는 데도 한계가 있었다.

또 금전적 손해도 막대했다.

"예!"

"시간 됐습니다!"

"좋아. 사이트 열어. 시간은 지키고."

사이트 오픈 시간은 무조건 30분.

30분이 흐르면 사이트는 폐쇄된다.

사십대 태국인은 아래층으로 내려가 화장실 문을 열었다.

"잘되고 있어?"

화장실 중앙, 재갈이 물린 채 의자에 결박되어 있는 동양인 남성과 망치 따위를 든 태국인 둘이 그의 눈에 들어온다.

"으읍! 으으읍!"

"얼마나 뽑았어?"

"앞으로 300만 바트는 더 뽑을 수 있을 것 같습니다."

사십대 태국인의 입가가 비틀어진다.

이래서 한국, 일본, 중국 등 부유한 동아시아가 좋다. 한 명당 최소 천만 바트의 소득을 올리기 때문이다.

화장실 문을 닫은 그는 안쪽에 있는 방으로 향했다.

그때였다. 현관문이 열리며 배불뚝이의 오십대 동양인 남성이 들어왔다.

"여, 차이 사장."

"박 사장."

비즈니스 파트너일 뿐만 아니라 이 비즈니스의 아이디어를 제공한 박 사장.

이름은 모른다.

"이번엔 얼마나 모았어?"

"얼마 못 모았어. 볼래?"

"당연하지. 고객의 니즈를 맞추기 위해서 우량 제품을 선별하는 건 오야로서 당연한 일이니까."

여자 관리는 모두 박 사장의 몫이다.

이 선별에서 탈락된 여성들은 옆의 화장실로 들어간다.

차이 사장은 따라오라 손짓하며 가장 안쪽에 있는 방의

문을 열었다.

벌컥! 스스슥!

어두운 방, 빛을 피해 구석으로 몸을 숨기는 동서양의 다섯 여성들. 그리고 그런 그녀들을 감싼 채 이쪽을 바라보는 동양인 여성.

한 마디가 부족한 왼손 새끼손가락이 그의 눈에 들어온다.

'순영.'

바보 같은 여자다.

'푸켓에서 그 수첩만 잊어버리지 않았어도.'

고객과 데이트를 나갔을 때 맨날 들고 다니던 수첩을 잃어버렸다. 시 따위를 쓰던 수첩이었으나 그 누구도 믿지 않은 박 사장은 푸켓 사업장을 폐쇄했고, 순영의 손가락을 잘라 버렸다.

그리고 이곳으로 보냈다. 그냥 죽여 버리기엔 능력 있는 여자였으니까.

"뭐야. 이번엔 상태가 영 메롱이네?"

무심한 어투지만 여성들에겐 사형 선고다.

그 말에 순영이 일어선다.

"저마다 매력이 있습네다. 씻겨 놓으면 회원들도 만족할 겁네다."

"오, 순영이가 그렇게 말한다면 믿어 줘야지. 다들 일어나. 에브리바디 스탠드 업."

동서양 여성들은 눈치를 봤고, 순영은 애써 웃으며 그녀들을 달랬다.

바로 이런 능력이다. 납치해 온 여성들을 다독이는 능력.

"그럼 수고하라고, 차이 사장. 이번 영업 끝나면 본부 옮길 준비하고."

차이 사장은 대문 앞까지 배웅하고 돌아온 순영을 봤다.

하지만 순영은 눈길조차 주지 않으며 다시 그 방으로 들어갔다.

'대체 뭐가 문제냐.'

푸켓에서의 일 전까지만 해도 모두에게 사근사근 대했던 그녀.

특히나 차이 그에겐 입안의 혀처럼 살갑게 굴었다.

박 사장에게도 그랬기에 이렇게 본부에 올 수 있지 않았던가.

순영은 납치를 당한 주제에 오히려 웃던 이상한 여자였다.

하지만 지금은 얼음장보다 차갑다.

이유야 알겠지만…….

"쯧."

콰앙!

차이 사장은 문을 닫고 떠났고, 방 한구석으로 향한 순영은 무릎을 끌어모았다.

그녀의 머릿속에 박사장에게 끌려간 여성들이 떠오른다.

"험한 꼴을 당해도 저승보단 이승이 낫지 않네. 참고 기다려야 한다."

그러면 언젠가 꼭 구하러 올 거다.

그들이라면 자신이 남긴 암호를 해독해 낼 거다.

동생 순철도 있지 않은가.

사이버해커 부대의 컴퓨터열중자, 해커 순철.

그 영특하고 뚝심 있는 아이라면 분명 누나를 포기하지 않을 거다.

순영은 그날이 오길 기다리며 흐르는 눈물을 닦았다.

5장. 돌아갑시다

돌아갑시다

"추천제?"

종혁은 어이없다는 듯 웃었다.

다크웹으로 사이트를 열고 닫는 것도 모자라, 회원 관리는 기존 회원의 추천으로 받는다.

더욱이 사이트 오픈부터 클로즈까지 걸리는 시간은 단 30분.

여기에 IP를 우회하기까지 하니 해킹으로 그 웹사이트에 도달할 때쯤엔 사이트가 닫혀 버린 후다.

이외에도 관리가 철두철미하다.

어떻게 회원으로 추천을 받는다고 해도 낌새가 이상하다 싶으면 여성을 놔두고 도주해 버린다.

운반책도 그때그때 고용한, 그것도 태국의 대표 운행수단인 오토바이 택시 툭툭이나 쏭테우 기사다 보니 시킨 놈을 찾는 것도 어렵다.

특정 위치에 여성을 데려다 놓고, 나머지는 대포폰으로 지시를 내린다.

그리고 놈들은 멀찍이서 감시한다. 당연히 여성은 감시당하는 걸 알기에 도주할 마음도 먹지 못한다.

자신들이 노출되지 않기 위하여 어떻게든 죽여서 입을 막으려 할 테니까.

특정 위치까지 옮기는 것도 눈과 귀를 가린 후에 이동시키니 놈들의 아지트를 알아내는 것도 불가능한 상황.

이러니 번번이 물을 먹은 거다.

"……이 새끼들 제대론데?"

제아무리 범죄라고 해도 이 정도면 감탄이 나올 수준이다.

"우리가 괜히 3년 동안 못 잡았겠어?"

리동수도 고개를 끄덕인다.

"이거 골치 아프네."

차라리 한국에서 이런 일이 있었다면 찾기가 쉬웠을 거다. 이제 CCTV나 블랙박스가 없는 곳을 찾기 힘드니까.

그런데 여긴 태국이다.

차량에 블랙박스는커녕 은행 CCTV조차 부족한 나라.

핸드폰도, 아니 정확히는 핸드폰 유심칩도 약간의 웃돈만 얹어 주면 얼마든지 사서 번호를 개통할 수 있는 나라.

지독한 빈부 격차로 인해 옆집 사정에 관심도 부족하다.

경찰 입장에서 보면 이보다 범죄를 저지르기 편한 나라도 없다.

"사람들이 주로 납치를 당하는 장소는?"

"일정하지가 않아."

누군가는 공항에서 택시를 탔다가 행적이 사라지고, 누군가는 도심에서 납치되어 사라진다. 가라오케에서 진탕 즐긴 후 숙소로 복귀하기 위해 택시를 탔던 이도 증발해 버린다.

"로컬 바에서 술을 마시다 사라지는 경우도 있고, 뒷골목에 갔다가 사라지는 경우도 있어."

택시 같은 경우도 무허가 택시. 번호판만 그럴싸하게 만든 택시였다. 이러니 추적에 애를 먹을 수밖에 없다.

'진짜 범죄를 저지르기 편한 나라네.'

"그럼 어떻게든 그 사이트에 매달려야 한다는 건데…… 역시 추천을 받긴 힘들지?"

만약 받는 게 쉬웠다면 어떻게든 놈들을 찾았을 거다. 정보국이라는 건 그리 호락호락한 단체가 아니니까.

"힘들지. 일단 고객이 모두 부자니까."

그것도 권력을 가진 부자들이다.

이러면 협조를 구하기도 힘들다.

정보국이라고 해서 무작정 이들을 억압할 수 없고, 또 그렇게 억압하기엔 회원들이 중범죄를 저지르는 것도 아니기 때문이다.

납치된 여성임을 알아차렸다고 해도 몰랐다고 하면 그만.

이런 전가의 보도가 있는 이상 그들을 억압할 수가 없다.

"아니, 태국은 왕권 국가 아니었어? 왕이 명령하면 다

되는 거 아니야?"

"왕이라고 정치를 하지 않는 건 아니잖아요."

현재 태국 국민들에게 활불이라 불리는 현 국왕.

종혁이 알기로 그는 엄청난 정치가였다.

군부와의 갈등조차도 그의 묵인하에 일어나는 일. 이러니 그렇게 불릴 수 있는 거다.

"그런데 피해사 중에 동양계만 있는 게 아니잖아. 서양에서 이 일을 알았다면 가만히 있지 않았을 텐데?"

김종두 과장이 이번에도 날카롭게 찌른다.

그에 라차논은 씁쓸히 웃고, 종혁이 대신 대답했다.

"인정할 리가 없죠. 국가 위신의 문제인데."

특히 관광 국가인 태국이라면 말할 것도 없다.

"하아."

"와."

"이건 뭐 밤고구마를 동치미 없이 먹은 수준이네. 콜라 없냐?"

특수범죄수사과 형사들이 답답해진 가슴을 두드린다. 이미 이런 걸 알고 있는 NIA와 정찰총국 요원들은 씁쓸히 웃는다.

"그나마 다행이라면 이 조직의 구성원을 곧 찾을 수 있다는 거야."

"그게 언제 되는데? 외형적 특징을 입력하면 얼굴을 뽑아내는 그런 프로그램이라도 있어? 그리고 그 이름이 진짜라는 보장은?"

"……."

태국 내 사십대 범죄자의 숫자가 몇 명일까.

못해도 수만 명일 거다.

그들을 일일이 검색하는 것도 몇 달은 걸릴 일이다.

또 이름이 진짜라고 해도 죄다 차이, 프라얏 등이다. 한국의 김이박최처럼 태국에선 흔한 성씨나 이름.

종혁은 암울해지는 분위기에 박수를 쳤다.

특수범죄수사과, NIA, 정찰총국 요원들이 종혁을 봤다.

"자, 일단 정리합시다. 결국 우리가 매달릴 수 있는 유일한 희망은 그 사이트입니다."

수첩 속 인상착의는 일단 이놈들의 꼬리를 잡은 이후의 문제다.

"이렇게 은밀하게 움직이는 놈들이다 보니 분명 조직원의 변동 사항을 적을 터. 대신 일단 놈들 중 한 놈이라도 잡게 되면 바로 몸통까지 검거할 수 있는 확률이 높습니다."

수첩 속 인상착의는 정말 이놈들이 맞는지를 확인시켜주는 소중한 단서다.

"문제는 놈들을 검거하는 와중에 그 사실이 새어 나가서 잔당들이 도망치는 거지."

리동수의 말이 맞다. 잡으려면 한꺼번에 잡아야 한다.

그러기 위해 사이트에 접속할 필요가 있다. 아니, 정확히는 해킹을 통해 진짜 주소를 알아야 한다.

"솔직히 추천을 받아 사이트에 접속한 이후도 문제야."

"실패할 확률이 높으니까?"

실제로도 실패했다.

NIA 소속 해커들을 모아 해킹을 했지만, 해킹이 채 끝나기 전에 사이트가 폐쇄됐다.

"그건 문제가 좀 있……."

"제가 하겠습네다."

"순철 동무! ……끄응."

다급히 외쳤던 리동수는 눈을 질끈 감았고, 종혁은 의아한 눈으로 순철을 봤다.

"네가? 어떻게?"

순철은 제발이라며 리동수를 봤다.

리동수는 머리를 벅벅 긁다가 고개를 끄덕였다. 그에 순철은 눈에 불을 품으며 거수경례를 했다.

"종혁 동지, 내래 다시 인사드리갔시오. 보위부 사이버 보안대대 3중대장 리순철 중위입네다."

"……뭐?"

로비에 침묵이 내려앉았다.

"어. 그러니까 저 얼굴로 22살……."

6살 언저리로 보이던 순희는 무려 9살이었다.

"대체 얼마나 못 먹었으면……."

"아니, 그보다 대체 얼마나 천재이기에 저 나이에 중위인 거야?"

특수범죄수사과 형사들의 말에 리동수의 얼굴이 빨개진다.

북한 인민 생활상의 민낯이 밝혀져서다.

그것도 밝히고 싶지 않았던 남한 사람들에게.

"내래 대외……."

"순철 동무!"

"아, 죄송합네다. 이건 기밀입네다."

"……응. 뭐, 그래."

"아무튼 사이트에 접속만 하게 해 주시라요. 3명만 붙여 주면 10분 안에 놈들의 위치를 알아낼 수 있습네다."

종혁은 진실이냐는 듯 리동수를 봤다.

"순철 동무는 14살부터 조선민주주의인민공화국의 군인이었다."

"……잘도 탈북했구나, 너."

"그땐 눈이 돌아서리……."

고개를 끄덕인 종혁은 라차논을 봤다.

이제 그녀의 차례였다.

"일단 우리가 이놈들 회원이라고 유력시 생각하는 사람이 있긴 한데……."

협조를 요청하기가 힘들다. 그의 뒤에 군부 인사가 있기 때문이다.

아직 피해 사실 확인이라곤 납치를 제외하면, 수첩에 적힌 사망자 명단이 전부다. 이마저도 확실한 증거가 없으니 압박을 할 수가 없다.

만약 압박을 넣었다가 놈들에게 말하기라도 하면?

그래서 놈들이 증거를 인멸하면?

그동안의 수사가 공염불이 되는 것뿐만 아니라 라차논 그녀까지 옷을 벗어야 한다.

현재 이게 가장 큰 문제였다.

사이트에 접속할 회원이 되어야 한다는 것.

"아니, 그건 문제가 아니야."

모두가 종혁을 본다.

NIA와 징찰총국은 의아해하며 봤지만, 특수범죄수사과 형사들은 설마 하며 쳐다봤다.

"일단 그놈과 미팅만 잡아. 나머진 내가 알아서 할 테니까."

종혁은 의아해하는 그들을 보며 씩 웃었다.

자리가 파한 뒤, 배웅을 하러 나온 종혁에게 라차논이 입을 열었다.

"그런데 내가 근처에 있다는 걸 대체 어떻게 확신한 거야?"

"너 같은 엘리트가 푸켓에 왔다는 부분에서 의심을 했지."

라차논은 태국에서 국민 영웅으로 추앙받는 유도선수다.

아무리 성전환을 했다고 한들, 마스코트 같은 그녀를 한직으로 보낼 조직은 없다. 그게 설령 비리가 넘쳐 나는 태국 경찰이라고 해도 말이다.

"고작 그걸로?"

"세상엔 우연 따윈 없으니까."

우연을 가장한 필연만 있을 뿐.

때마침 라차논이 푸켓으로 전근을 왔고, 때마침 이런

일이 생겼다.

이 거듭된 우연을 정말 우연으로만 치부할 수 있을까?

이 외에도 이상한 점은 많았다.

그녀의 헛소리에 업어치기를 했을 때 그녀가 반응했던 점도 그렇다. 성전환을 하고 살을 70kg 넘게 빼면서 피지컬이 급감한 그녀다.

그런데 그 업어치기에 반응해 브릿지를 했다. 언제나 긴장을 하고 있단 뜻이다.

단순히 계속 단련을 했다고 되는 일이 아니다.

"그 외에도……."

"오케이. 됐어. 그만해."

라차논은 질렸다는 눈빛을 지었다.

키득키득 웃던 종혁은 이를 드러냈다.

"자, 그럼 움직이자."

그렇게 한국과 태국, 북한 3개국 합동의 수사가 시작됐다.

* * *

부르릉! 빵빵!

오토바이가 사방에서 튀어나오는 방콕.

한 10층짜리 빌딩 앞에 롤스로이스 한 대가 멈춰 선다.

지금도 아무나 탈 수 없다는 롤스로이스 팬텀.

그 중후한 멋에 빌딩 앞을 지나던 사람들의 시선이 쏠린다.

탁!

운전석에서 후다닥 달려 나온 리동수가 뒷문을 연다.

그리고 그 안에서 하얀 정장을 입은 종혁이 걸어 나온다.

"흠. 여긴가."

종혁의 입에서 자연스럽게 흘러나오는 러시아어.

두툼한 안경을 쓴 그의 입가가 삐딱해진다.

종혁은 성큼성큼 빌딩 안으로 걸음을 옮겼다.

이미 약속이 된 상황이라 곧바로 10층으로 향한 그들은 이내 곧 얼굴에 심술보가 덕지덕지 붙은 오십대의 태국 남성과 마주할 수 있었다.

"하하. 어서 오십시오, 아이반 씨!"

고개를 끄덕인 종혁은 소파에 털썩 앉았고, NIA가 그 조직의 성매매 회원이라고 의심하는 대상 쁘라윳의 볼이 파르르 떨렸다.

방콕에서 10번째 안에 드는 부동산 기업의 회장인 쁘라윳.

"시간 없으니 바로 본론으로 들어가지."

리동수는 의아해하는 쁘라윳에게 통역을 했다.

"아이반 회장님께서 만나서 반갑다고 하십니다. 그리고 쁘라윳 회장님도 바쁘실 테니 본론으로 들어가는 게 어떠시냐 합니다."

"……아."

'저게 그렇게 긴말이었나?'

의아해하던 쁘라윳은 이내 푸하하 크게 웃었다.

"역시 러시아분답게 화끈하시군요! 좋습니다! 저도 그러면 나쁘지 않죠! 별장을 원하신다고요? 으음……."

뻐라웃의 표정이 갑자기 안 좋아진다.

"그런데 아실지 모르겠지만, 저희 태국은 외국인에게 부동산을 판매하고 있지 않습니다."

그에 리동수가 들고 온 서류 가방에서 서류를 내밀었다.

태국 현지인과 합작 법인을 세웠다는 서류.

뻐라웃의 표정이 활짝 폈다.

"하하하. 저희 태국에 대해 아시는 분이셨군요! 그럼 얼마나 구하시는지 여쭤도 되겠습니까?"

리동수의 통역에 종혁의 미간이 좁혀졌다.

"미리 말하지 않았던가?"

"미리 약속을 잡았던 매물 그대로라고 하십니다."

뻐라웃의 미소가 더 환해진다.

방콕 내에서만 무반 단지(빌라 단지) 1곳.

치앙마이, 치앙라이, 푸켓, 파타야 등에 총 6개 빌라.

가격만 따져도 무려 8백만 달러에 해당하는 막대한 액수다.

"허헛. 그럼 일어서시죠! 안내해 드리겠습니다!"

종혁은 손을 저었다.

"귀찮게. 됐어."

"저, 정말 확인하지 않으셔도 되겠습니까……?"

뻐라웃은 입을 떡 벌렸고, 종혁은 눈빛을 싸늘히 굳혔다.

"내 조건은 전에 말했듯 두 가지야. 언제든 여자들과

파티를 즐겨도 주위의 방해가 없을 것. 풍경이 좋을 것. 이에 합당하기만 하면 되는데…… 그런 곳이겠지?"

'이런 미친놈! 여자에 미친놈!'

"그, 그럼요! 그건 걱정하지 않아도 됩니다!"

"그럼 됐어. 서류."

"예!"

종혁은 쁘라윳이 내민 서류에 사인을 했다.

"리."

"예, 회장님."

"이체해."

고개를 끄덕인 그는 지금쯤 컴퓨터 앞에 앉아 있을 라차논에게 전화를 했고, 종혁은 쁘라윳을 봤다.

"확인해 봐. 달러로 송금했으니까."

"자, 잠시만……."

약 5분의 시간이 흐른 후, 전화기의 수화기를 잡고 있던 쁘라윳은 입을 떡 벌렸다.

'지, 진짜 이체됐네? 뭐 이 미친……'

종혁이 믿어 달라곤 했지만, 일말의 의심을 가지고 있던 리동수는 당황을 감추지 못했다.

"설마 잔금까지 모두? 은행에 나가 있는 직원이 그렇게……."

'뭐이야?!'

"귀찮게 뭘 나눠 내?"

"으하하하핫! 정말 화끈하십니다! 러시아 최고! 만세!"

양팔을 번쩍 들었던 쁘라윳이 오늘 중 가장 환하게 웃는다.

"일어나시죠! 이런 큰 계약을 해 주신 분께 태국에 대해 알려 드리고 싶습니다!"

"아, 그거 좋지. 그런데 그것보다……."

종혁은 눈을 빛냈다.

방금 전 90억을 태우면서까지 물으려 한 용무를 이제 봐야 했다.

"여자는 없어? 난 직업 여성이나 대학생보다 좀 반항을 하는 애들이 좋은데 말이야."

그에 쁘라윳의 표정이 오묘해진다.

"반항이라 하시면?"

"어쩔 수 없이 굴복 당했지만, 남아 있는 반항심. 발버둥. 난 그런 걸 짓밟는 걸 선호하는데…… 있나? 마음에 들면 별장을 몇 개 더 구하지."

"이거……."

쁘라윳의 눈이 가늘게 떠진다.

"취미가 고상한 분이셨군요."

별장 몇 개. 그게 결정타였다.

"마침 그런 곳을 아는데, 한번 이용해 보실 생각 있으십니까?"

종혁은 사납게 웃었다.

정말 듣고 싶은 말이었다.

* * *

"미친놈."

"또라이."

특수범죄수사과 형사들뿐만이 아니다.

라차논과 리동수도 혀를 내둘렀다.

사건이 사건이라지만, 고작 사이트 주소 하나를 알아내기 위해 90억을 썼다.

이게 정말 가능한 일인가 싶었다.

일단 그들 정보국들로선 꿈도 못 꿀 일이다.

반바지만 입은 채 아이스크림을 빨던 종혁은 벌써 며칠째 계속되는 그들의 이런 모습에 얼굴을 와락 구겼다.

"아니, 왜 이걸 그냥 날렸다고만 생각하세요?"

1년 365일 아무 때나 특수범죄수사과의 가족들에게 일정 금액을 받고 임대를 해 줘도 되고, 혹여 한국의 범죄자가 태국으로 도망쳤을 시 이렇게 수사본부로 써도 된다.

"어? 그러네?"

"사람들이 이런 큰 뜻도 모르고 말이야. 에이, 그냥 1박에 30만 원씩 받아 버려?"

"어이구. 우리 종혁이 돈 쓰느라 피곤했지? 누구야! 누가 우리 종혁이 혼냈어? 종혁아, 나 방금 아주 크게 혼냈다."

"예, 뭐. 아 거기 밑이요. 예, 거기요."

"여기? 시원해?"

"저…… 최종혁 동무."

"음?"

"그거이…… 아, 그만 좀 찌르라!"

종혁은 리동수를 보며 눈을 껌뻑였다.

얼굴이 시뻘개진 채 대원들에게 옆구리가 찔리는 그.

"우, 우리도 써도 되갔네?"

'……얘들도 작전비가 부족하나?'

정찰총국도 일종의 수사 기관이다 보니 그럴 확률이 높다. 종혁이 알기로 수사 기관인데 예산이 넘쳐 나는 곳은 미국 정도밖에 없었다.

어쩌면 경치 좋은 곳에 풀장이 딸린 빌라라서 그런 걸지도 몰랐다.

"예, 뭐…… 어차피 관리비만 나오면 되니까 되는 대로 주시면 돼요. 아, 도청 장치 같은 건 설치하지 말고요."

"고, 고맙구나야. 그, 그럼!"

종혁은 계약한 빌라의 로비를 박차고 나가며 담배를 꺼내 드는 리동수의 모습에 오묘한 표정을 지었다.

'북한도 사람 사는 곳이긴 하구나.'

자유를 박탈당한 채 억압받는 나라, 북한.

정찰총국 같은 국가 기관의 요원이라면 생각의 자유마저 완전히 박탈당했을 거라 생각했는데 아닌 것 같다.

지이잉!

무심코 핸드폰을 들었던 종혁은 허리를 폈다.

"왔다."

모두의 시선이 집중되었다.

타라라라라라락!

순철의 손가락이 키보드 위에서 춤을 춘다.

순철의 요구에 맞춘 초고가의 컴퓨터.

“하, 이 간나 새끼들. 많이도 꼬아 놨구나야.”

막대사탕을 문 입술을 핥은 그의 눈빛엔 누나를 찾기 위한 간절함을 넘어 광기마저 서렸다.

“그쪽으로 가면 들킵니다! 우회하세요!”

절대 이쪽이 추적하고 있다는 걸 들켜선 안 된다.

‘종간나 새끼들. 좀 배웠구나야.’

하지만 결국 그 정도 수준이다.

12살 때 미 국회의사당 보안 시스템을 뚫은 순철을 막아서기엔 너무도 허술하다.

그렇게 몇 번이나 호통을 쳤을까.

탁!

마지막 방점을 찍은 순철이 어깨를 축 늘어트렸다.

그러나 그 눈은 살벌하기 그지없다.

“거기 있었네?”

‘거기 있었구나, 누나.’

사람들이 우르르 몰려든다.

9분 43초. 정말 순철의 호언장담대로 됐다.

순철은 신기해하는 사람들을 향해 입을 열었다.

“동무들, 이제 우리 누나 구해 주시라요.”

종혁은 눈물을 글썽이는 순철의 어깨를 꽉 잡았다.

"그래. 지금부터 우리에게 맡겨."

라차논과 리동수가 핸드폰을 들었다.

"지금 말하는 주소로 달려가!"

* * *

부우웅!

허름한 차 한 대가 청바지에 흰 셔츠를 입은 동양 여성을 태운 채 늦은 저녁의 도로를 달린다.

뒷좌석에 앉아 잔뜩 움츠린 여성.

백미러로 그 겁먹은 모습을 힐끔 본 운전자는 혀를 차며 다시 앞을 봤다. 뭔가 이상했지만 이대로 경찰서로 달려가기엔 받기로 한 금액이 너무 많다.

오토바이 택시 툭툭 기사인 그로서는 무려 10일은 일해야 벌 돈. 그것도 손님을 쉬지 않고 태웠을 때다.

그렇게 내달린 기사는 커다란 호텔 앞에 차를 세웠다.

"도착했습니다."

여성은 무릎 위로 올린 주먹을 꽉 쥐었다.

지금이라도 도망치고 싶다.

하지만…….

–도망칠 수 있으면 도망쳐 봐.

부디 그럴 수 있으면 좋겠다며 장난스럽게 웃던 박 사장의 얼굴.

그러나 그 눈은 결코 웃지 않았다.

지금 당장 운전기사도 그 무서운 사람들 중 한 명일 수 있다.

저 호텔 안에도, 호텔 주위에도 그 무서운 사람들이 있을 거다.

'만약 내가 여기서 거부하면?'

도망쳤다가 잡힌 사람이 어떻게 되는지 봤다. 박 사장이 강제로 보게끔 만들었다.

덜덜덜!

"이봐요, 괜찮아요?"

그녀로선 알지 못하는 태국어.

"힉?! 내, 내릴게요!"

찔끔 지린 그녀는 재빨리 차문을 열었다.

그렇게 로비에 들어선 그녀는 하얗게 질렸다.

여기도 쳐다보는 것 같고, 저기도 쳐다보는 것 같다.

점점 어깨를 더 움츠려 가며 로비를 가로지른 그녀는 엘리베이터에 올라서야 겨우 숨을 내쉴 수 있었다.

그리고 그제야 자신이 지렸다는 걸 알게 됐다.

그 순간 왈칵 설움이 솟았다.

"흑!"

내가 왜 태국에 왔을까. 친구들이 말릴 때 그만둘걸. 다신 안 올래.

온갖 후회가 그녀의 마음속을 휘몰아쳤다.

그러나 엘리베이터는 그녀의 마음도 모른 채 속절없이

목적지 층에 도착했다.

띠잉!

"흑! 흐윽!"

가기 싫었다.

하지만 갈 수밖에 없다.

그녀는 하염없이 흐르는 공포의 눈물을 닦으며 복도를 가로질러 하나의 방 앞에 섰다.

……띵동!

결국 눌러 버린 벨.

저벅저벅.

안에서 이쪽으로 다가오는, 이제부터 자신을 짓밟을 악마의 발걸음 소리에 그녀의 다리가 후들후들 떨린다.

결국 참고 참았던 게 터져 버린다.

쉬이이!

색이 짙어지는 청바지.

벌컥!

"사, 살려……."

스윽 내밀어지는 것에 그녀의 입이 다물어진다.

따뜻한 향기가 피어나는 코코아.

종혁은 금방이라도 무너질 것 같은 그녀의 손을 조심스럽게 잡으며 서글피 웃었다.

"구하러 왔습니다."

"……아."

그녀는 다른 의미로 무너졌다.

* * *

부우웅!

인적이 점점 사라지는 밤의 도로.

호텔 근처에 세워진 차를 감시하는 다른 차 안.

운전석과 보조석에 앉은 태국인 두 명이 담배를 물고 있다.

"역시 박 사장은 머리가 좋아."

고용한 기사로 하여금 자차를 끌고 오면 소정의 금액을 더 준다. 꼬리가 잡힐 수가 없는 수법이다.

"한국인들은 머리가 좋잖아. 왜? 순영도 그렇잖아."

"갠 노스 까울리."

"달라?"

"달라. 이산과 우리 관계?"

태국 동북부 이산.

그들과 다른 지방에 사는 태국인들은 사이가 무척이나 나쁘다.

"아, 그래? 흠. 뭐 심심한데 뭐 재밌는 거 없나."

그들 중 한 명이 라디오를 켠다.

그때였다.

위이이잉!

조용해져 가는 도로를 구급차 사이렌 소리가 꿰뚫는다.

"어떤 놈이 또 오토바이 타다 죽었나 보네."

"한두 번이야?"

오토바이가 차보다 많은 만큼 오토바이 사고도 많은 태국.

피식 웃던 둘은 이내 낯빛을 딱딱하게 굳혔다.

구급차가 호텔 안으로 빠르게 진입하고, 구급대원이 들것을 들며 안으로 달려 들어간다.

그리고 잠시 후 피투성이가 된 여성을 들것에 싣고 나온다.

"어?!"

"저, 저거!"

하얀 티셔츠와 바지.

분명 그녀다.

욕을 뱉으며 엉덩이를 들썩인 그들은 숨을 죽였다.

지이잉! 지이잉!

로비에서 감시하는 조직원의 전화.

그들은 다급히 전화를 받았다.

"뭐야! 어떻게 된 일이야!"

―이, 이 미친 러시아 놈이 여자를 죽일 듯 팼어!

"빌어먹을!"

일이 꼬였다.

"알았어! 얼른 나오기나 해!"

―으, 응!

이윽고 로비를 통해 나온 정장을 입은 사내가 잰걸음으로 다가와 뒷좌석 차문을 연다.

"뭐야! 대체 어떻게 된 거야!"

"몰라! 피투성이가 됐다고!"

로비의 직원들이 갑자기 당황해 위로 올라가더니 곧 구급차가 도착했고, 피투성이가 된 여자가 실려 나왔다.

매일 피를 보는 그조차도 그 모습은 섬뜩할 정도였다.

"저, 저기!"

주먹과 얼굴에 피가 점점 묻은 거한이 로비 입구를 걸어 나와 시기를 문다.

그 러시아 놈이다.

한껏 만족한 표정을 짓는 그의 앞에 롤스로이스가 서고, 운전석에서 달려 나온 동양인 사내가 시거에 불을 붙여 준다.

"푸후우. 가지."

거리가 멀어 들릴 리가 없을 텐데도 들리는 것 같은 만족스런 목소리.

롤스로이스가 출발하자 그들은 머리를 벅벅 긁었다.

"돌아 버리겠네! 박 사장에게 전화해!"

이내 곧 박 사장이 전화를 받는다.

"박 사장!"

그들은 빠르게 상황을 설명했다.

–알아. 들었어. 그 러시아 놈이 미안하다고 사례금도 줬고.

"아, 그래?"

그제야 그들의 얼굴이 펴진다.

돈을 받았다면 됐다.

“그럼 여자는 어떡해?”

—뭘 어떡해. 그냥 철수해.

구급차에 실려 간 이상 경찰에 노출될 수가 있다. 아쉽지만 여기까지였다.

—여자들 복귀하면 바로 데려오고.

“으응.”

전화를 끊은 그는 여자를 데려다준 기사에게 잔금은 글러브 박스에 있다 말하곤 그제야 차를 출발시켰다.

그렇게 달려 도시 외곽의 어느 창고에 도착한 그들은 그 안으로 들어갔다.

아무도 없는 듯 적막한 창고.

이윽고 차 세 대가 연이어 그곳에 도착했다. 그리고 9명의 남자가 눈과 귀를 가린 여자 세 명을 끌어 내린다.

“뭐야. 여자는?”

“몰라! 미친 러시아 놈이 때려 죽였어!”

흠칫.

귀를 막았어도 남자의 목소리가 높았기 때문인지 여자들의 몸이 굳는다.

그러나 태국 남자들은 낄낄 웃는다.

“변태 새끼네.”

“됐고. 철수하자. 박 사장이 바로 돌아오래.”

“이런. 수끼 맛있게 하는 집 아는데.”

태국식 샤브샤브인 수끼.

툴툴거린 그들은 타고 온 차를 창고 안에 집어넣고는

창고 옆에 세워진 승합차 두 대에 나눠 탔다.

선팅이 짙게 된 승합차. 여자들을 가장 안쪽으로 밀어 넣은 그들은 차를 출발시켰다.

그런 그들은 몰랐다. 자신들에게 미행이 붙었다는 걸.

그렇게 5일 정도 국도를 달렸을까.

방콕에 접어든 그들은 조금 더 차를 몰아 어느 허름한 동네의 맨션으로 진입했다.

허리춤에 권총을 쑤셔 넣은 한 태국 남성이 그들을 맞이한다.

"너희가 제일 늦었어."

"그럴 리가."

"얼른 올라가. 박 사장 이래."

머리 위로 검지를 찌른 사내의 말에 승합차를 타고 온 사내들의 낯빛이 굳는다.

여자를 남성에게 인계한 그들은 다급히 꼭대기 층으로 향했다.

허름한 맨션과는 전혀 어울리지 않는 화려한 방.

책상 위, 금과 보석으로 장식된 크고 작은 코끼리 모자가 그들을 가장 먼저 반긴다.

"늦었군."

입에 담배를 문 박 사장의 차가운 말투에 그들은 다급히 변명을 쏟아 냈다.

"우리 안 쉬고 왔어!"

"맞아! 밥은 1시간씩만 먹었어, 박 사장!"

"화장실도 하루에 5번밖에 안 갔어!"

"푸후우…… 미행은?"

"없었어. 그치?"

남자들은 고개를 끄덕였다.

휴게소를 겸하는 국도의 식당에 들렀을 때, 똑같은 차를 단 한 번도 본 적이 없다.

"아, 어떤 식당에서 웬 늙은 병신 놈이 세차를 하려고 들기에 혼낸 적 있어."

꿈틀.

박 사장의 눈빛이 흔들린다.

"병신 놈?"

"왜? 그런 거 흔하잖아. 그래서 흠씬 패 버리니까 그 부인 년이 살려 달라고, 이거 다 줄 테니 살려 달라고 막 과자랑 이런 것도 줬다니까?"

국왕의 사진이 담긴 열쇠고리와 염주.

순간 뭔가 섬뜩해진 박 사장은 그것을 가져오라 손짓했다.

열쇠고리를 받아 든 박 사장은 아들 코끼리를 들어 국왕 사진이 담긴 케이스를 박살 냈다.

"이봐, 박 사장!"

활불로 불리는 국왕.

방금까지 쩔쩔 매던 태국인들이 버럭 화를 낸다.

"흠. 아니군. 미안. 이걸로 다른 거 사."

박 사장은 200바트를 내밀었고, 열쇠고리가 박살 난 태국인은 히죽 웃었다.

"여기 걔들이 받은 팁."

"됐어. 그건 너희가 쓰라고 했잖아."

이젠 12명 태국인들의 얼굴이 활짝 펴진다.

"나가 봐."

"응!"

쿵.

문이 닫히자 박사장은 냉소를 지었다.

"병신 같은 놈들. 돈이면 그저 좋다지."

돈에 미친 건 박 사장 본인도 마찬가지지만, 한화로 백만 원도 안 되는 돈에 행복해하는 그들을 보자니 한심하고 가소롭다.

"그럼 이번 원정에 대한 계산을 해 볼까?"

그의 얼굴에 미소가 가득 피어올랐다.

그렇게 얼마의 시간이 흘렀을까.

꼬르륵!

"……이놈의 태국은 다 좋은데, 소화가 빨라서 지랄이야."

저녁을 먹은 지 얼마나 됐다고 벌써 배가 고플까.

고작 11시밖에 안 됐는데도 공복을 호소하는 배에 박 사장은 야식이 아니라 술을 마셔야겠다 생각했다.

"흠. 오늘은 어떤 년을 끼고 마셔 볼까."

어차피 이 맨션에 널리고 널린 게 여자다.

짓밟고 죽여도 아무런 상관이 없는 여자들.

생각만 해도 뻐근해지는 그곳을 주무르며 일어나던 박 사장은 순간 몸을 굳혔다.

오싹!

갑자기 온몸을 내달리는 소름.

그는 반사적으로 창가로 걸어가 블라인드를 살짝 걷었다.

이 시간이면 어둠과 동화되는 동네. 아무것도 보이지 않지만, 불길함을 느낀 그는 책상에 놓인 무전기를 들었다.

치익!

"비얀, 입구는 어때?"

—…….

"어이, 비얀. 비얀! ……라빗! 샤챠! 차이! 이런 씨부랄! 누가 대답 좀 해 봐!"

—치익! 바, 박 사장!

"뭐야! 뭐가 어떻게 된……."

타아앙!

적막한 어둠을 꿰뚫는 한 발의 총성.

박 사장의 손에서 무전기가 떨어진다.

경찰이다. 아니, 특공대다.

"아니, 그래도 말이 안 되잖아! 어떻게 이렇게 은밀하게……!"

입구 경비와 1, 2층 경비 모두 대답을 안 한다.

소리도 없이 제압이 됐다는 거다.

그런데 그보다 먼저 드는 의문이 있다.

대체 이곳을 어떻게 찾아낸 건가.

대체 어디서 들통이 난 건가.

"서, 설마 그 러시아 놈이……?"

이번 원정에서 사고가 터진 건 아이반이라는 러시아 놈뿐이다.

그리고 그쪽을 담당했던 조직원들이 복귀하던 도중에도 사고가 생겼다. 무시해도 상관없을 하찮은 일이었지만, 그런 사고가 생긴 건 그들이 유일했다.

쿵쿵쿵!

움찔!

"야, 박 사장. 문 열어. 안 열면 뒈진다?"

'하, 한국인? 설마 한국 경찰이?!'

박 사장은 다급히 권총을 숨긴 책상 서랍에 손을 가져갔다.

"아, 아니 먼저 전화를……."

증거를 은폐해야 한다.

이쪽의 조직원들은 차이 사장의 전화번호를 모르니 자신이 연락해서 은폐를 시켜야 한다.

여긴 겨우 납치지만 거기엔…….

그 생각이 박 사장의 머릿속을 가득 채웠다.

그 순간이었다.

쾅아앙!

문이 박살 나듯 열리며 검은 옷을 입은 사내들이 들어온다. 그리고 그 뒤를 따라 들어오는 남성들.

"문 열라니까, 박 사장 씹새끼야."

"……!"

가장 선두에 선 작은 키의 장년인 김종두 과장은 이를

갈았다.

“하아, 씨발. 네가 너 찾는다고 개고생한 걸 생각하면 진짜…….”

그는 지금까지의 작전을 생각하며 헛웃음을 터트렸다.

* * *

홀짝!

미지근한 코코아를 마시는 여성의 얼굴이 붉다.

씻고 옷을 갈아입은 여성.

그녀는 화장대 의자에 앉은 종혁을 힐끔 곁눈질하다 용기를 냈다.

“저, 정말 경찰 맞으시죠?”

“한국 경찰청 특수범죄수사과 소속 최종혁 경위입니다. 이쪽은 제 파트너시고요.”

“김종두 과장입니다.”

그녀는 종혁과 김종두 과장의 경찰공무원증을 보고 완전히 안심할 수 있었다.

“정말…… 정말로…….”

그녀의 눈에서 다시 눈물이 터진다.

종혁은 손수건을 내밀었고, 감사하다 고개를 끄덕인 그녀는 그동안 받았던 억압과 고통 설움을 모두 토해 냈다.

종혁은 그녀가 진정할 때까지 기다린 후 입을 열었다.

“혹시 어디에 계셨는지 기억하십니까?”

여성은 고개를 저었다.

어디에 감금되어 있었는지는 그녀도 기억 못한다.

짐칸 같은 곳에 실려 언제나 눈과 귀를 가린 채 이동했고, 도착한 곳은 창고 같은 곳이었다.

여기까지 데려다준 그 사람에게 인계되기 전까지도 그녀는 눈과 귀를 가렸다.

거의 수 시간을 달렸다.

가리개를 벗으니 어느 공원 앞 도로.

"거기까진 찾아갈 수 있겠지만……."

"예, 감사합니다."

고개를 끄덕인 종혁은 눈을 빛냈다.

"그럼 혹시 그 창고에 혼자 계셨습니까?"

"아, 아니요. 세 명과 함께 있었어요. 하, 하지만 제일 먼저 감금된 곳에는 스무 명 넘게 있었어요! 맨션 같은 곳이었어요! 나, 납치되어서 갇힌 곳은 다른 곳이지만…… 아, 박 사장이라고 했어요!"

박 사장이란 존재는 이미 순영의 수첩을 통해 알고 있었다.

종혁은 그녀의 말을 경청했다.

두서없는 그녀의 말을 정리하자면 이랬다.

납치를 당한 후 차이 사장이란 자가 있는 주택에 갇힌다.

이후 박 사장이 데리러 오고, 박 사장은 맨션에 그녀들을 가둔다. 그리고 선택이 되면 거기서 각 지방으로 흩어진다. 이후 끝나면 다시 박 사장이 있는 맨션으로 돌아간다.

종혁은 어이없단 얼굴로 김종두 과장을 봤다.

"정말 치밀한데요?"

이미 순영의 수첩을 통해 이들의 수법을 확인했음에도 다시 들으니 어이가 없다.

"이 새끼 진짜 한두 번 해 본 솜씨가 아니야. 뭐하는 새끼지?"

고개를 끄덕이며 생각을 정리한 종혁은 핸드폰을 들었다.

"라차논, 난데. 따라붙은 차량이 몇 대야?"

-여섯 대.

여성을 태운 차와 끝까지 같은 방향으로 달리던 차는 총 여섯 대. 어느 차가 진짜인지 모르기에 그들 모두에게 감시를 붙인 상황이다.

종혁은 여성을 봤다.

"아가씨, 혹시 협조를 해 주실 수 있겠습니까?"

"네?"

"얼굴과 몸에 피가 좀 묻을 수가 있는데……."

김종두 과장은 고개를 모로 기울이는 여성을 보며 입맛을 다셨다.

그리고 그 뒤로 진행된 건 이놈들도 아는 부분이다.

미리 준비한 구급차에 실려 간 그녀는 3국 합동 수사본부에서 보호를 했고, 이들을 미행했다.

혹시 모르는 상황을 대비해 놈들의 이동 경로에 있는 휴게소 겸 식당에서 추적 장치가 달린 가방에 과자들을 집어넣어 안겨 줬다.

그렇게 해서 결국 이 장소를 알게 됐고, NIA에서 출동한 특수부대원들과 급습하게 됐다.

타앙!

“컥?! 아악! 아아악!”

팔을 움직이는 순간 총을 맞고 쓰러진 박 사장.

‘어후. 씨발.’

김종두는 사람을 쐈으면서도 눈빛 하나 변하지 않는 태국 특수부대원의 모습에 진저리를 쳤다.

소리 없이 진압한다며 입구 경비들의 뒤를 급습해 목부터 땄던 암살자들.

혹시나 놈들이 여성들을 인질로 잡을까 해서 그랬다지만, 목이나 폐가 꿰뚫린 시체를 보니 베테랑 중 베테랑인 그도 속이 울렁거린다.

‘내가 다신 이런 놈들과 작전을 펼치나 봐라!’

고개를 저은 김종두는 바닥을 기는 박 사장에게 걸어가 수갑을 채웠다.

“박 사장, 뭐 너를 납치 및…… 뭐 씨발 이런저런 죄로 체포한다. 그러니 반항하지 말고…….”

“카윽! 놔! 놔아! 너 내가 누구…….”

콰작!

“아가리 닥쳐, 이 개새끼야.”

구둣발로 면상을 으깨 버린 김종두는 정신을 잃고 벌레처럼 꿈틀거리는 박사장을 노려보다 나머진 팀원들에게 맡기며 아래로 내려갔다.

뚜벅뚜벅!

문이 모두 열린 복도.

하지만 그럼에도 나오지 않는 여성들.

기겁하며 이쪽을 보는 여성들.

어스름한 등빛 아래 공포에 질린 얼굴을 보니 순간 가슴이 찢어진다.

울컥 눈물이 차오른 김종두는 이를 악물며 허리를 깊게 숙였다.

"늦어서 죄송합니다! 이제…… 돌아갑시다……."

죄책감에 목이 메었다.

"흐어엉!"

"엉엉엉!"

눈물을 흘리며 준비된 차량에 오르는 여성들을 보며 결국 눈물을 흘린 김종두는 핸드폰을 들었다.

"종혁아, 여긴 끝났다. 그러니……."

—예. 이쪽은 저한테 맡기세요. 아주 개아작을 낼 테니까.

살의가 가득한 종혁의 음성에 김종두는 제발 그래 주기를 바랐다.

* * *

불이 꺼진 허름한 주택가.

"후욱! 후욱!"

"진정해."

곧 누나를 만날 생각에 숨이 거칠어졌던 순철이 종혁을 본다.

기어코 우겨서 따라온 순철.

'종혁 동무가 아니었으면 여기까지 올 수 있었을까?'

아니다.

정찰총국에 사로잡혔어도 아마 입을 다물었을 거다.

NIA에게 빼돌려졌다 한들 한참 뒤에나 믿었을 거다.

누굴 믿어야 할지 모르는 오해를 하고 있었으니까.

정말 순수하게 도움을 준 종혁이 아니었다면, 먼 훗날에서야 이곳에 왔을 것이다.

"……한 가지만 묻고 싶습네다."

"왜 잘해 줬냐고?"

순철은 고개를 끄덕였고, 종혁은 잠시 생각에 잠겼다.

그냥 오지랖이라고 말하면 편하겠지만, 아마 순철이 원하는 답은 아닐 거다.

"내가 경찰이라서 그랬던 거라고 치자."

"경찰……."

순철에겐 낯선 단어인 경찰.

경찰이 뭔지 모르는 게 아니다.

하지만 북한에서 경찰은 종혁처럼 누군가를 돕는 사람이, 인민의 편이 아니다. 인민을 감시하고 인민의 돈을 갈취하는 존재들이지.

보위부에서 근무를 하고 있기에 순철이 가장 잘 안다. 그래서 정찰총국도 믿지 못했던 거다. 솔직히 지금도 완전히 믿지는 못했다.

"정말 감사합니다. 이 은혜 꼭 갚갔시오."

"그 말은 너희 누나 구출한 후에 하자."

"……예."

순철은 그 말에 더욱 감동했다.

그때였다.

지이잉!

모두의 시선이 종혁에게 모인다.

종혁은 얼른 전화를 받았다.

그 순간.

흠칫!

라차논과 리동수를 비롯한 요원들이 그들도 모르게 종혁에게서 한 발 물러난다.

'종혁?'

'이 아새끼래?'

산전수전 다 겪은 그들의 심장이 철렁 내려앉을 만큼 끔찍한 살의.

"예. 이쪽은 저한테 맡기세요. 아주 개아작을 낼 테니까."

전화를 끊은 종혁은 살의를 품은 눈으로 라차논과 리동수를 봤다. 김종두 과장을 비롯한 특수범죄수사과 형사들이 구출한 여성의 숫자는 총 56명.

이렇게 많은 사람들이 납치됐음에도 알아차리지 못했다는 죄책감이 놈들을 찢어 죽이고 싶다는 살의로 변질된다.

"그쪽은 끝난데. 그러니 시작하자, 라차논. 시작합시다, 동수 씨."

"……시작해."

라차논과 리동수는 저 앞에 보이는 놈들의 아지트를 가리켰고, 이내 곧 어둠에 몸을 숨기고 있던 그림자들이 빠르게 나아가기 시작했다.

슥! 칙착!

거의 소리를 내지 않고 담을 넘는 그들.

그리고 잠시 후.

타다당! 타타탕!

종혁은 총소리가 어둠을 꿰뚫자 저도 모르게 튀어나가려는 순철을 붙잡았다.

-칙! 클리어.

-제압 완료했습네다.

"가자."

저벅저벅.

다시금 조용해진 골목을 그들의 발소리가 울린다.

끼이익.

현관문을 열고 들어간 종혁과 라차논, 리동수는 마당에 펼쳐진 참상을 무심히 바라봤다.

목이나 폐가 꿰뚫려 바닥을 기는 시체들.

"누나!"

더 이상 참지 못한 순철이 주택 안으로 달려 들어갔고.

"처, 철이?"

정찰총국의 부축을 받으며 가장 안쪽 방에서 나오던 순영이 눈을 부릅떴다.

“철이네? 정말 우리 철이 맞네?”

“누나-!”

“철아-!”

햇수로 약 2년여.

지옥 속에서 살았던 순영와 그녀를 찾기 위해 지옥을 헤쳤던 순철 두 남매가 극적인 상봉을 이뤘다.

그 순간만큼은 냉혹한 요원들도 눈시울을 붉혔다.

종혁도 마찬가지였다.

그렇게 너무나도 크고 길었던 악몽이 끝났다.

쿠당탕!

“이 종간나 새끼!”

모든 게 끝난 주택이 시끄러워진다.

어깨가 꿰뚫린 채 끌려 나온 차이 사장을 덮친 순철이 주먹을 날린다.

“하지 마라, 철아!”

“어찌 하지 말랍니까! 이 종간나 새끼가 누나 손가락을……! 놓으시오! 내래 이 종간나 새끼의 갈비뼈를 혁명적으로 바꾸갔시오!”

아무도 순철을 말리지 않는다.

“큭큭! 그래…… 죽여! 죽여 봐! 네 누나가 나한테 무슨 꼴을 당했는지 모르지?!”

이대로 잡혀 들어가면 무슨 꼴을 당할지 아는 차이는 도발을 했고, 순철은 완전히 눈이 돌았다.

"이 종간나가……!"

그 순간이었다.

순철에게 성큼성큼 다가간 종혁은 그의 뒷목을 잡아 차이 사장에게서 떼어 냈다.

"종혁 동무!"

종혁은 달려드려는 순철에게 이를 드러냈다.

"순철아, 이런 놈은 죽이면 안 돼."

죽이는 건 이런 놈들을 도리어 돕는 거다.

이런 놈들은 종신형이든 사형이든 받게 해서 평생 독방에서 햇빛도 못 본 채 살아가게 해야 한다.

"그렇지?"

"주, 죽여! 제발 날 죽여-!"

"……."

종혁은 라차논을 봤다.

라차논이 피식 웃으며 입을 열었다.

"걱정 마, 순철. 이놈은 태국에서 가장 악명 높은 교도소에 갇히게 될 테니까."

"그, 그렇다면야……."

그렇게 사태가 일단락되자 가만히 있던 리동수가 순영의 앞에 서며 거수경례를 한다. 그뿐만 아니라 다른 정찰총국 요원들도 모두 거수경례를 한다.

시종일관 당당하던 그들이 갑자기 겁에 질려 벌벌 떤다.

"늦어서 죄송합네다, 리순영 소좌! 정찰총국 리동수 대위입네다!"

종혁은 눈을 부릅떴다.

'소좌?'

한국 군인 계급으로 따지면 소령.

이제 겨우 스물다섯 살 정도로 보이는데 소령이다.

"일없습네다. 많이 기다리진 않았시오."

"가, 감사합네다!"

종혁은 순철을 봤다.

"순영 누나는 동남아 특작……."

"철아."

"이것도 비밀입네다."

'뭔 비밀이 이리 많은지…….'

머리를 긁은 종혁은 순영에게 다가가 고개를 숙였다.

"남기신 단서 덕분에 이렇게 일망타진할 수 있었습니다. 용기를 내 주셔서 정말 감사하고, 희망을 놓지 않아 주셔서 감사합니다. 고생하셨습니다. 늦어서 죄송합니다."

순영은 그 진심 가득한 말에 배시시 웃었다.

하지만 그녀의 표정은 곧 굳어졌다.

"아직 다 끝난 게 아입니다."

"음? 아……."

주위를 둘러본 종혁은 곧바로 깨달을 수 있었다.

가장 중요한 게 없다.

종혁은 차이를 노려봤다.

“야, 니들 사람 죽여서 어떻게 했어?”

흠칫!

사람들이 깜짝 놀라 차이를 보고, 차이는 필사적으로 그들의 시선을 피했다.

그에 순영이 입을 열었다.

“여기엔 없습네다. 하지만 다른 곳들엔 있습네다. 하지만 거기가 어딘지는…….”

“너……!”

발작하듯 배신감 가득한 눈으로 순영을 노려보는 차이.

“하, 이 씨발 새끼가…….”

빠드득!

다시 살의가 치솟는다. 피투성이가 된 채 구조된 서양 남자의 모습이 그의 살의 더 돋운다.

종혁은 라차논에게 손을 내밀었다.

“라차논 그것 좀 잠깐 줘 봐.”

“응? 이거?”

라차논의 권총을 받아 든 종혁은 그대로 차이의 입 안에 쑤셔 넣었다.

“으븝?!”

“최!”

종혁은 라차논의 비명을 무시했다.

“야, 두 번 안 묻는다. 니들 어디에 있었어?”

말을 안 해도 된다. 어차피 대신 말해 줄 놈들은 여기에 널려 있으니까.

끼릭!

공이를 젖힌 종혁은 사납게 이를 드러냈다.

"어디야, 이 개새끼야."

종혁은 차이를 잡아먹을 듯 노려봤다.

* * *

쿠다다다탕!

태국 북부의 도시 치앙마이 한 주택가의 땅이 중장비에 의해 뒤집어진다.

그뿐만 아니다.

태국 전역, 총 일곱 곳에서 이와 똑같은 일이 벌어진다.

"나, 나왔습니다!"

"나왔다-!"

"멈춰, 멈춰!"

소란스러워진 현장.

질끈 감았던 눈을 뜬 종혁은 인부들을 헤치며 안으로 향했다. 김종두 과장을 비롯한 특수범죄수사과 형사들도 마찬가지다.

그리고 그들은 곧 볼 수 있었다.

"아……."

둘둘 말린 채 다 썩어 버린 이불들.

그 안에서 삐죽 튀어나온 두 개의 발 뼈들.

이곳에서만 총 열세 구.

얼마나 괴로웠을까.

얼마나 절망스러웠을까.

얼마나 경찰을 찾았을까!

피가 나도록 이를 악문 종혁과 형사들은 그런 그들을 향해 허리를 깊게 숙였다.

"늦어서 죄송합니다. 이제…… 돌아갑시다."

고향으로.

종혁과 형사들은 눈물을 줄줄 흘렸다.

먼 타향에서 절망과 비통 속에 죽어 간 이들에게 해 줄 수 있는 거라곤 고작 이것밖에 없음에 그들은 눈물을 흘렸다.

* * *

호다닥!

"언니야-!"

"희야!"

두 자매가 서로를 끌어안는다.

"대체 왜 그렇게 숨은 겁네까. 순희가 보고 싶지 않았시요?"

"보고 싶었디. 와 보고 싶디 않았겠네. 미안하다. 이 언니가 정말 미안하다야."

"아닙네다. 이렇게 볼 수 있어서 순희는 기쁩네다."

순철이 그 모습을 보며 눈시울을 붉힌다.

2년. 차디찬 두만강을 목숨 걸고 건너 타지를 떠돈 지 2년 만에 드디어 세 남매가 한자리에 모였다.

'이 모습을 보기 위해 그 개고생을 했구나야.'

"철이도 이리 오라."

"싫습네다. 징하게 뭔 짓입네까."

"사내새끼가 앙탈이네? 얼른 오라."

엄해지는 그녀의 눈에 순철은 못 이긴 척 둘을 품에 안는다. 그렇게 세 남매는 오랜만에 서로의 온기를 나누었다.

이대로 시간이 멈춰 버렸으면 하는 순간이었다.

"흠흠. 소좌 동무."

"아, 갈 시간입네까?"

기이잉!

방콕의 수완나품 국제공항의 활주로.

군복을 입은 순영이 중국 국적의 항공기 앞에 선다.

북한의 국기로 둘러싼 두 개의 납골함. 결국 납치됐던 사람들은 그녀만 제외하고 모두 죽었다.

"이제 고향으로 돌아갑시다, 동무들."

서글픈 눈으로 함을 쓸어내린 순영은 돌아서서 정찰총국의 요원들을 노려봤다. 그녀의 작은 몸에서 추상 같은 기세가 뿜어졌다.

"조국을 위해 헌신하다 비명에 가신 전사이고 력꾼들이시다. 모두 예를 갖추라!"

"총원 차렷! 경례!"

척!

절도와 예의를 갖춰 거수경례를 한 그들은 저마다 속으로 사과를 한 후 손을 내렸다.

그 후 순영과 리동수는 종혁과 특수범죄수사과의 형사들에게 다가갔다.

"수고하셨습네다."

종혁이 대표로 악수를 받았다.

"순영 씨가 더 수고했죠. 그럼 이제 평양으로 가는 겁니까?"

"가야디요. 종혁 동무는 서울로 가는 거디요?"

약 이백여 킬로미터.

서울에서 평양까지의 직선거리다.

서울에서 부산까지보다 더 짧은 거리건만, 이렇게 다른 비행기를 타야 한다.

"이 은혜 정말 어떻게 갚아야 할디……."

"은혜는 무슨. 됐고, 간첩이나 거둬 가세요. 아니면 잡아서 돌려보냅니다."

"후후. 무슨 말인디 잘 모르겠습네다. 철아, 넌 인사 안 하네?"

순철이 주춤주춤 다가선다.

"고맙습네다, 종혁 동무. 이 은혜 절대 잊지 않갔시요."

"아쉽네. 같이 한국으로 갈 줄 알았는데."

어린 순희의 손을 꼭 잡고 구걸을 했던 꾀죄죄한 소년 순철. 종혁은 그때까지만 해도 둘이 도움을 요청할 수도 있겠다 생각했다.

물론 도움을 요청하긴 했다.

예상과 달랐지만 말이다.

"그, 그거이……."

갑자기 말을 더듬는 순철의 모습에 순영이 눈을 빛냈다.

그에 순철은 하얗게 질렸다.

"아닙네다! 저는 위대한 수령……."

"그만. 그거 우리에겐 썩 듣기 좋은 말이 아니거든. VIP는 다르게 생각하시겠지만."

"끙."

종혁은 순철의 머리를 헤집었다.

"언제든 망명하고 싶으면 연락해. 전력을 다해 도울 테니까."

"남조선, 선을 넘지 말라."

"아, 맞아. 우리 해결해야 될 일이 있었죠, 동수 씨? 어떻게 지금 한판?"

"……그래. 5분이면 돼갔디. 져도 남자답게 약속은 지키는 기야."

태국에서 구입한 빌라들.

그걸 판매한 쁘라웃은 결국 징역을 살게 됐다. 군부장성을 뒷배로 두고 있지만, 사건의 사안이 너무 커서다.

"어이구, 5분씩이나? 한 방이면 될 텐데?"

"그렇게 몸이 약하네, 남조선?"

"그만. 어째 남자들은 나이가 들어도 아새낍네까?"

"큼……."

"어흠."

"그럼 우린 가 보겠습네다. 동무들도 잘 가시오."

순영은 종혁의 옆에 선 라차논을 봤다.

"NIA 라차논 동무에게도 신세를 많이 졌시요. 다음에 은혜 꼭 갚겠습네다."

"다신 우리나라에 오지 마세요."

"후후."

그렇게 순영들이 멀어지자 종혁은 라차논을 봤다.

"다음에 또 보자."

"그래. 잘 가. 도착하면 연락해."

친구끼리 이 이상의 말은 필요 없었다.

그렇게 그녀마저 떠나자 종혁은 몸을 돌려 항공기 옆에 놓인 7개의 관을 응시했다.

피해자 총 11명, 사망자 7명.

이제 이들은 그토록 보고 싶었던 가족의 품으로 돌아가 유족들이 원하는 장례를 치르게 될 거다.

"그럼 부탁드리겠습니다."

"예, 걱정 마십시오. 안전운행 하겠습니다."

거듭 부탁한 그들은 그제야 돌아섰다.

"이야, 이거 휴가 한번 끝장나게 즐겼네."

"그럼 그렇지. 내 운빨에 무슨 여유로운 휴가야. 니미럴."

"한국에 가면 찌개에 쐬주 한잔 어떠십니까?"

"좋지-!"

종혁은 벌써부터 술 생각을 하는 그들을 보며 코웃음을

쳤다.

"입국하시기 전에 어떤 선물을 살지부터 고민하세요. 바가지 긁히기 싫으면."

움찔!

3박 4일의 휴가. 2박까지는 정말 괜찮았는데, 마무리에서 3박째에서 망쳤다. 완전히. 처참하게.

또 사건이냐며 한심하고 실망스런 눈으로 보던 가족들의 모습이 다시 떠오른다.

이번 휴가로 벌었던 점수를 다 깎아 먹다 못해 아침밥도 못 얻어먹을 상황이었다.

"하 씨……. 무슨 선물을 사야 하지?"

"의무방어전을 빡세게 치러야 하나……."

죽상인 그들은 그래도 킬킬 웃으며 항공기에 올랐다.

한편 그들을 지켜보던 순영은 눈을 가늘게 떴다.

'최종혁 동무.'

그녀도 어렴풋이만 알고 있는 존재, 최종혁.

사사로이 빅토르 로마노프의 친구이며, 러시아 최고위층과 연관이 있을 거라 추정된다.

"흠."

머리를 긁적이던 그녀는 사라지는 종혁의 등을 빤히 바라보는 순철을 응시했다.

이제 고작 22살에 불과한 순철.

폐쇄된 나라 북한에서 어릴 적부터 감시를 받아 온 불

쌍한 아이.

'만약 내가 재능을 드러내지 않았다면 이 아이도 평범하게 살지 않았을까.'

리순영의 핏줄이라며 어릴 적부터 엘리트 교육을 받아 재능을 만개해 버려 결국 나라에 귀속된 순철이다.

그런데 그렇게 언제나 미안함의 대상이던 동생이 목숨을 걸고 조국을 탈출해 누나를 구하러 왔다.

제대로 뭐 하나 해 준 것도 없는 못난 누나를.

그녀에겐 언제나 어린아이인 순철이 2년간 겪지 않아도 될 고생을 했다. 그녀로선 그게 너무 못 견디게 괴로웠다.

"자본주의의 맛은 어땠네?"

움찔!

순철은 기겁하며 순영을 봤다.

"무, 무슨 말을 하십네까? 내가 얼마나 고생했는지 벌써 잊으셨습네까? 그딴 건 느껴 볼 틈도 없었시요!"

"그러네? 그럼 다행이구나야. 그 마음 꼭 간직하라."

"……누나?"

"리순철 중위!"

"예, 소좌 동무!"

"지금부터 동무에게 아주 중요한 임무를 하달하갔어!"

"말씀하시라요!"

"리순희 동무와 함께 남조선에 넘어가서 최종혁 동무를 감시하라!"

"소, 소좌 동무?"

"소좌 동지!"

"걱정 말라. 국장 동지도 허락할 수밖에 없는 일이다."

"그, 그렇습네까?"

정말이다. 돌아가면 사상 검증 및 교육과 고문을 좀 받겠지만, 그녀의 상관은 이번 일을 칭찬을 할 수밖에 없었다.

그녀의 의도가 뻔히 보임에도 북한으로선 결코 용납할 수 없는 일임에도 말이다.

종혁은 그 정도의 무게를 가진 존재였다.

리동수가 미심쩍어하면서도 물러나자, 순영은 큰 동요를 보이는 순철을 꼭 끌어안았다.

"연락은 자주 해야 돼. 안 하면 죽일 거이야. 희야를 울려도 마찬가지야."

"……미안합네다."

정말 죽을 만큼 힘들었던 2년간의 고생.

하지만 그만큼 개안을 했던 시간이었다.

조국보다 더 발전한 나라들, 그 자유롭던 영혼들.

순영의 말이 맞다.

순철은 이미 자본주의의 자유로움에 물든 후였다. 그래서 의로운 곳에 서슴없이 돈을 쓰는 종혁이 더 멋져 보였는지도 몰랐다.

결국 눈물을 흘리는 순철을 다독인 순영은 무릎을 굽혀 순희와 눈을 마주쳤다.

누가 한 핏줄 아니랄까 봐 어려서부터 범상치 않았던

막내 순희.

"순영 언니, 언니는 같이 안 가십네까?"

울컥 차오르는 눈물을 순영은 애써 삼켰다.

"내래 우리 희야에게도 명령을 하달하갔어."

순희의 얼굴이 울상이 된다.

"말하시라요……."

'이것 보라. 너무 영특하잖네.'

이미 요주의 감시 대상인 막내 순희.

혹여 천재성이 개화하지 못해 일반인으로 살아가게 된들 감시는 결코 거둬지지 않을 거다. 순희가 자라 결혼을 하고 아이를 낳으면 그 아이조차도 감시를 할 나라가 조국 북한.

순영은 리씨 가문의 장녀로서 이 굴레를 끊기로 마음먹었다.

최소한 동생들만큼은 그 어떤 걱정 없이 하고 싶은 일을 모두 다하며 살아가길 원했다.

"리순희 동무는 최종혁 동무의 경계심을 무너트릴 장치로 파견되는 기야. 그러니 꼭 자본주의를 무너트릴 첨병으로 성장하라. 알갔어?"

"……알갔시오. 내래 꼭 그라갔시오. 이이잉."

결국 눈물을 터트리는 순희를 마지막으로 안은 순영은 씁쓸히 웃었다.

"이제 언제 다시 안아 볼까. 우리 희야, 철이."

"누나……."

순철마저 강하게 안은 순영은 눈물을 억지로 참았다.

“이별은 짧을수록 좋다고 했디. 적화통일이 됐을 때 서울에서 보자.”

“서울에서.”

“서울에서.”

눈물을 삼키며 돌아선 순철은 순희의 손을 꼭 잡으며 종혁에게로 달려갔다.

“종혁 동무-!”

“아주바이!”

구름 한 점 없이 맑은 하늘 아래.

자유롭게 날기 위해 가족의 품을 떠나는 동생들이 완전히 자취를 감출 때까지 바라보던 그녀는 몸을 돌렸다.

“갑시다. 우리도 우리의 조국으로.”

그들도 비행기에 올랐다.

6장. 지랄하고 자빠졌네

지랄하고 자빠졌네

"이거면 되겠지?"

"부디 아침밥을 얻어먹을 수 있기를!"

입국 게이트로 향하는 길. 특수범죄수사과 형사들이 캐리어를 보며 안절부절못한다.

그런 그들 사이엔 순철과 순희가 없었는데, 둘은 입국심사장에서 기다리던 국정원에 인계됐기 때문이다.

망명을 신청한 순철과 순희는 약 한 달여 동안 조사를 받은 후 풀려나게 될 것이라 종혁도 그렇게 마음을 졸이진 않았다.

마침 아는 얼굴이 왔기에 한층 더 마음이 놓였다.

"빨랑빨랑 걸어, 이 새끼들아!"

떠밀리는 박 사장과 두 명의 한국인이 얼굴을 구긴다. 놈들 조직엔 박 사장 외에 다른 한국인도 있었다.

이제 놈들은 법의 엄중한 심판을 받게 될 것이다.
그걸 보며 끓는 속을 감춘 김종두 과장이 종혁을 봤다.
"종혁아, 그런데 넌 뭔 선물을 그렇게 바리바리 샀어?"
"아, 이거요? 선물을 할 사람이 많아서……."
지이잉!
"왔다!"
"응?"
공항을 꿰뚫는 외침에 고개를 돌린 종혁과 형사들은 눈을 동그랗게 떴다.
촤라라라라라라!
그들의 눈을 부숴 버릴 듯 터지는 플래시 세례.
'뭐, 뭐야! 무슨 일인데?'
그들은 눈을 가리며 당황했다.

* * *

경찰청장실.
최기룡 경찰청장이 양팔 벌려 그들을 맞이한다.
"으하하하하핫! 어서 와, 어서 와!"
'나 이거 어디서 본 것 같은데…….'
'너도?'
종혁과 김종두 과장은 피식 웃으며 소파에 앉았고, 최기룡 청장은 그런 그들을 예뻐 죽겠다는 듯 봤다.
그럴 수밖에 없다.

피해자가 무려 11명이다.

서울에서 2명, 부산에서 4명, 대구에서 1명 등 따로 떼어 놓고 보면 일반적인 실종 사건이었는데, 알고 보니 태국 인신매매 집단에 의한 납치 및 살인이었다.

그렇지 않아도 몇몇 곳은 피해자 가족들이 제발 태국에서 사라진 가족을 구해 달라 1인 시위를 하던 와중이었다.

이런 상태에서 피해자가 더 발생하고, 그걸 본청에서 끝까지 몰랐다면? 이제 퇴임을 준비하는 최기룡의 목도 온전치 못했을 거다.

그랬다면 부산에서 칼을 갈고 있는 박종명에게 기회를 줬을 터.

여기에 각국에서 고맙다는 서신을 전달해 왔다.

그들 나라가 한국에 빚을 진거다.

이에 박노형 대통령도 칭찬을 거듭했다.

이제 다음 청장도 최기룡 본인의 파벌에서 배출할 수 있게 됐다고 봐야 했다.

"수고했어. 아주 수고했어!"

입가에 미소가 떠나지 않는 그를 보며 종혁은 고개를 저었다.

"너무 좋아하는 거 아니세요?"

"좋아해야지. 이보다 더 좋아해야지! 우리 경찰이 그 콧대 높은 외교관들에게 한 방 먹였는데!"

상황이 이렇게 되다 보니 주 태국 한국대사관만 욕을 먹고 있다.

태국에서 11명이나 사라졌음에도 대사관이 그 어떤 조치도 하지 않았기 때문이다.

아니, 그를 넘어 한국에서 실종 사건이 발생했으니 수사에 협조해 달라고 요청했음에도 자신들이 알아서 하겠다고 했는데, 태국 경찰에게조차 신고하지 않음이 밝혀졌다.

난리가 난 상황이었다.

일단 주 태국 한국대사관의 수장은 경질된 상황.

'이 사건으로 대사관들의 안일함도 고쳐졌으면 좋겠네.'

국민이 해외에 나가 예기치 못한 사고나 재난을 당하면 어디에 연락하겠는가. 대사관이다.

그런데 한국대사관은 이 부분에서 말이 많다.

가장 유명한 게 바로 국군포로병사 귀환 사건.

'내가 국군 포로로 북한에 갇혀 있었는데 탈출했습니다.'

이에 대한 대사관의 반응은 가관이었다.

'그런데요? ……니미, 씨부랄.'

그 전화를 응대한 여성은 거의 국민쌍년이 됐다.

'그냥 눈 딱 감고 포로 석방에 대해 건의할 걸 그랬나.'

종혁은 설사 실패한다고 해도 그랬어야 된다며 지나간 기회를 안타까워했다.

딱딱!

종혁의 눈앞에서 손가락이 튕겨진다.

"종혁아?"

"예? 아, 죄송합니다."

김종두 과장은 안절부절못했지만, 최기룡은 푸근히 웃으며 고개를 저었다.

"아니야. 많이 피곤했지? 그만 내려가 봐."

"……죄송합니다."

"아니라니까. 내가 이런 걸로 화내는 사람으로 보여? 그럼 섭섭한데."

"아하하. 죄송합니다. 그럼 이만 내려가 보겠습니다."

"그래. 곧 표창식 있으니까 몸 관리 잘하고. 아, 맞아. 종혁아, 내년 설에 시간 돼?"

종혁은 고개를 모로 기울였다.

"예, 뭐. 사건만 없다면 괜찮겠죠?"

"그래? 잘됐네. 내년 설에 종가 어르신들 뵐 거니까 그렇게 알아. 어르신들이 널 참 보고 싶어 하신다? 오늘도 연락이 쏟아지는데, 어휴."

"……예?"

"그리고 이대로만 하면 내후년엔 진급 확정이니까 그렇게 알고."

"예?"

종혁은 따라가기 힘든 이야기에 눈을 껌뻑였다.

'임용된 지 얼마나 됐다고 벌써 진급 논의를?'

종혁은 정신을 차리지 못했다.

"좋냐? 선배들 다 제끼고 먼저 진급하는데 좋아?"

종혁의 경찰대 3기수 위까지 진급에 대해 말이 나온 사람은 없다. 이제 순환 근무를 마쳤거나 이제 형사팀 막내로 배치되어 선배의 수발들기 바쁘기 때문이다.

분명 말이 나올 수밖에 없다.

하지만…….

"그게 뭔 상관이에요?"

기수를 씹어도 할 수 있다면 해야 되는 게 진급이다. 물론 이리저리 다독여야 할 테지만 말이다.

"그리고 제가 진급하면 삼촌은요?"

김종두 과장도 진급한다고 봐야 했다. 그것도 종혁보다 일찍.

"으흐흐."

"그렇게 좋아할 거면서 내숭은……."

"이놈이?"

그렇게 둘은 투덕거리며 새로이 확장 이사를 한 특수범죄수사과로 향했다.

"흐흐. 우리가 저기서부터 여기까지 쓴단 말이지?"

그냥 보고만 있어도 다리가 후들거릴 만큼 기분이 좋다.

본청 그 어느 수사과가 이렇게 빨리 사무실을 확장 했을까.

그렇게 김종두는 좋아했지만 종혁은 아니었다.

'아직 멀었지.'

겨우 이 정도로 만족할 수 없다. 최소한 본청의 한 층 정도는 써야 다음 단계를 생각할 수 있다. 하루 이틀 걸릴 일이 아니지만, 그 조직을 생각하면 몸이 달아오를 수밖에 없다.

'참자, 참아. 급하게 먹는 떡이 체하는 법이다.'

종혁은 치미는 욕심을 애써 눌렀다.

"들어가시죠."

"에헴. 그래 볼까?"

김종두는 문을 박차며 들어갔다.

"애들아! 내가 왔다!"

"……왔다."

"응. 왔네."

"응?"

종혁과 김종두 과장은 고개를 모로 기울였다.

눈가가 팬더가 된 형사들이 느릿하게 일어나 다가온다.

종혁들이 휴가에서 복귀하면 휴가를 떠나기로 한 형사들.

"흐흐. 우리 빼고 놀다 오니까 좋으셨어?"

"우리는 바다 구경도 못했는데."

"사건 해결하는 중에 호텔도 가고, 빌라도 가고, 뷔페도 가고 아주 다 하셨던만?"

"어휴, 얼굴에 살 오른 것 좀 봐. 우린 불어 터진 짜장면밖에 못 먹었는데……."

오싹!

반사적으로 아군을 찾아 둘러보니 최기룡과 면담이 있는 그들보다 먼저 복귀한 형사들이 걸레가 되어 널브러져 있다.

"야, 야. 잠깐?!"

억울하다.

놀다 온 것도 아니고 사건을 해결하느라 귀국이 지체된 것이 아니던가.

하지만 그게 통할 상황이 아니었다.

한국에 남아 휴가를 떠난 팀원들의 업무까지 모두 처리해야 했던 저들에겐 아무것도 들리지 않을 터였다.

하루 이틀도 아니라 무려 보름이나 지체되지 않았던가. 거기다 이사도 이들이 도맡아 했다.

"에, 에이. 그래도 이건 아니죠!"

종혁도 주춤 물러났다.

"뭐, 인마? 뭐해?! 덮쳐!"

"우아아아아!"

"이런 씨!"

종혁은 덮쳐 오는 형사들을 보며 다급히 가드를 올렸다.

* * *

"와–!"

"이게 뭐야."

이사한 사무실을 구경 온 타부서 형사들의 눈이 휘둥그레진다.

축구를 해도 될 정도로 넓은 크기가 문제가 아니다.

2인 1조로 깔끔하게 구획을 나눈 책상과 최신형 노트북.

하루 종일 앉아 있어도 엉덩이가 푹신할 것 같은 의자

에, 각 수사조마다 배치된 화이트보드.

한쪽엔 평면 커다란 TV 몇 대가 연결되어 있다.

그 화룡정점은 탕비실과 비품 창고다.

카페를 그대로 옮겨 놓은 듯한 모던한 분위기의 탕비실. 커피메이커가 몇 대 놓여 있고, 냉장고와 찬장엔 부식거리가 가득 채워져 있다.

비품 창고도 고가의 제품들로만 채워져 있다. 특히 새끼손톱보다 작은 도청 장치 20세트를 발견한 그들은 쓰러지고 말았다.

특수범죄수사과는 장비 담당 부서를 거치지 않고 단독으로 장비를 쓸 수 있게 됐다.

종혁은 FBI 뉴욕지국에 갔을 때 꼭 이렇게 꾸미겠다는 다짐을 결국 이뤄 내고 말았다.

"부서를 차별하는 거야, 뭐야? 청장님이 한 부서만 특별히 예뻐해도 돼?"

"제길! 결국 실적인가! 야, 우리도 언론 자빠트릴 사건 물어 와!"

"대장님! 우리도 이렇게 해 주세요!"

"예산 없어!"

"아니, 종혁이가 없어!"

모두의 시선이 종혁에게로 향한다. 사무실을 채운 대부분이 종혁의 주머니에서 나왔다는 걸 아는 그들.

이번에 특수범죄수사과가 다녀온 휴가는 또 어떻던가. 전세기로 날아가 리조트에서 제대로 즐기고 왔단다.

"종혁아, 새해까지 얼마 안 남았다. 내년엔 광수대 올 거지?"

"뽕쟁이들 잡자, 종혁아. 으응. 넌 사무실에만 있어. 우리가 다 떠먹여 준다. 오케이?"

"야, 이 개놈의 시키들아-! 종혁이 안 보낸다고-!"

"아, 거 나눠 씁시다, 좀! 진짜 쪼잔하네!"

"닥치고 이거나 처먹어!"

입에 수제초콜릿이 물린 형사들은 꿍얼꿍얼하면서도 입을 다물었다.

"아, 이거 맛있네."

"그러게. 과하게 달지 않은 게 딱 내 취향인데?"

"형님! 좀 더 주십쇼!"

"다 먹어라, 이 새끼들아!"

종혁은 그 모습을 보며 피식 웃었다.

'이건 뭐 사탕 주면 졸졸 따라오는 애들도 아니고.'

그래도 이 정겨운 모습은 언제나 보기 좋다.

"아, 형님. 사건 하나 가져갈래요?"

마약대 대장의 갑작스런 발언에 모두의 시선이 물린다.

"마약 사건?"

"예. 우리가 쳐 내려고 해도 시간이 없어서요."

이 일도 결과적으론 종혁 때문이다.

원랜 종혁이 마약대에 오면 같이 해결해서 날개를 달아 주려 했는데, 종혁이 파출소부터 가면서 미뤄지다 결국 여기까지 온 사건.

여기에 종혁이 언론을 박살 내면서 그들 마약대도 보다 더 이슈가 될 사건에 집중을 하는 중이었다.

이를테면 연예인 마약 사건.

이건 더 이상 미룰 수가 없었다. 현재 마약대 전원이 달려들고 있는 사건이었다.

"관심 없으면 광수대에 토스 하고."

"아, 우리도 사건 밀려서 힘든데……."

광수대 대장이 입맛을 다신다.

본청 마약대가 다루는 사건이다. 작은 규모일 리가 없다.

"그래요? 음. 어쩌지? 내년 하반기로 미뤄야 하나?"

"아냐, 오케이. 콜. 못 먹어도 고다."

"오! 역시 화끈하시네. 알았어요. 곧 정리해서 토스 할게요. 대신 밥 거하게 사십쇼. 우리 쪼잔하게 돼지 안 먹습니다."

"오케이, 소고기. 뷔페 말고 소고기집에서!"

"거기에 다금바리 추가합니다."

종혁의 덧붙임에 마약대의 얼굴이 활짝 폈다.

"콜-!"

그렇게 가볍게 정리를 마친 그들은 다시 수다를 떨기 시작했다.

어차피 점심시간. 아직 조금 더 여유를 부려도 됐다.

종혁도 그들과 어울리며 하하호호 웃었다.

그때였다.

띠리링! 띠리링!

핸드폰을 본 종혁은 의아해하며 전화를 받았다.

"예, 청장님."

청장이란 단어에 모두의 입이 다물어진다.

"……예?"

—북한에서 국군 포로 두 명을 넘겨주기로 했는데, 거기에 네가 참석해 달란다.

"……왜요?"

정말 왜였다.

* * *

판문점.

언제나 군인들의 날선 긴장만 가득한 그곳에 작은 소란이 생긴다.

그럴 수밖에 없다. 여태껏 국군 포로의 존재에 대해 부정을 하던 북한이 국군 포로를 송환시키는 날이기 때문이다.

다만 공식 송환이 아닌 비공식 송환.

이번 정권 들어 북한과 평화 모드를 조성해 가고 있다지만, 이런 이벤트를 공식적으로 했다간 양국 간에 여러 문제가 생길 수 있기에 비공식 송환을 하기로 협의했다.

여기에 원래 포로는 한 명만 보내기로 했는데, 갑자기 한 명이 더 추가됐다.

무슨 꿍꿍이인지 짐작이 안 갔지만, 일단은 반길 상황

이었다.

그에 통일부와 외교통상부 차관 및 직원 몇 명과 국회의원 및 군 장성 몇 명, 경찰 몇 명만이 판문점을 찾았다.

그중에 종혁이 있었다.

오랜만에 정복을 차려입은 종혁.

그는 국회의원들의 선두에 서 있는 현몽준 의원, 아니 현몽준 당대표를 보며 묘한 표정을 지었다.

회귀 전, 대선의 막판에 박노형의 뒤통수를 친 후 박쥐라는 악명을 얻고 정치판을 전전하다 소리 없이 사라져 버렸던 현몽준 의원.

지금은 박노형 대통령 계파 정당의 당대표다.

'이게 나비효과인가.'

그런 종혁의 시선을 느낀 건지 돌아봤던 현몽준 당대표가 활짝 웃으며 다가온다.

"오랜만입니다, 최 경위."

종혁은 눈을 껌뻑였다.

"……어, 제가 대표님을 뵌 적이 있을까요?"

"하하, 미안해요. 뉴스로 자주 접하다 보니 착각했나 봅니다. 이 나라 치안을 지켜 주셔서 감사합니다."

"아닙니다. 경찰로서 당연히 해야 할 일이었을 뿐입니다. 늦었지만 당대표가 되신 걸 축하드립니다."

"감사합니다."

현몽준은 종혁을 보며 푸근히 웃었다.

'정말 대단한 친구야.'

폭풍이 이럴까. 임용이 된 지 얼마나 됐다고 언론을 꺾고, 외교부에게 한 방 먹였다.

어딜 가든 평지풍파를 일으키는 종혁.

그때도 느꼈지만 정말 대단했다.

'이런 청년이 내 뒤를 받쳐 주면 얼마나 좋을까.'

하지만 그건 욕심이다.

'지금은 욕심이지. 하지만…….'

현몽준은 앞으로의 일을 떠올리며 미소를 더욱 짙게 했다.

"곧 법안 하나가 통과될 겁니다. 성매매에 관한 특별법안이죠."

종혁은 눈을 빛냈다.

'맞아. 성매매 특별법. 그래, 이게 올해였어.'

회귀 전보다 늦긴 했지만, 그래도 완전히 늦지 않았다.

'앞으로 공지가 많이 생기겠구나.'

기생충 중의 기생충 사창가. 그곳을 밀어 버릴 수 있는 법률이 생기는 거다.

종혁의 입가에 사나운 미소가 맺혔다.

현몽준은 그걸 보며 고개를 끄덕였다.

"앞으로도 이 나라의 치안을 부탁드립니다."

"예. 꼭 그렇게 하겠습니다."

웅성웅성.

"아, 나오는군요. 그럼 전 이만."

북한 측 건물에서 깡마르고 검게 탄 노인 두 명이 북한 군인들과 함께 걸어온다.

움찔움찔 당장이라도 달려오려는 급한 마음을 억지로 누르는 그들.

하지만 종혁은 그들이 아닌 다른 사람을 보며 놀랐다.

'순영 씨?'

눈가엔 멍을, 입술엔 피딱지를 달고 있는 그녀.

그녀가 북한군의 뒤에서 따라오고 있었다. 그것도 고작 소위 계급만 단 채.

하지만 언제까지고 그녀를 볼 순 없었다. 방금 막 국군 포로 두 명이 경계선을 넘었기 때문이다.

폭 몇 십 센티의 시멘트로 그은 분단의 선을 넘자마자 무너지며 울음을 터트리는 국군 포로들.

"어흐흑!"

한국군은 얼른 그들을 더 안쪽으로 데려왔다.

그러고 나서 젊은 날 나라를 위해 희생을 한 그들을 위해 예를 보였다.

"전체 차렷! 경례!"

"충성!"

"충성."

'그동안 고생하셨습니다. 수고하셨습니다.'

국군 포로들은 눈에서 다시 눈물이 터졌다.

이후 실무자들끼리 대화가 이뤄졌는데, 종혁은 분단선에서 순영과 마주했다.

"설마 순영 씨가 이렇게 하신 거예요?"

말을 들어 보니 원래 남북한 평화모드 조성으로 인해

북한에서 포로 한 명을 넘기려고 했단다. 그런데 급히 한 명이 추가된 거다.

종혁으로선 당연한 의심이었다.

"후후. 제가 그 정도의 힘은 없습네다."

하지만 저 뒤 건물에서 이쪽을 지켜보고 있는 상관은 그럴 수 있다. 이번 비공식 송환에 포로 한 명을 더 추가한 것도 그의 작품이다.

남한과의 협력을 더욱 공고히 하기 위한 선물이면서, 종혁의 얼굴을 실제로 보기 위해 만든 이벤트.

아마 지금쯤 관상가가 종혁의 관상을 살피고 있을 터였다. 종혁이 북한에 도움이 될지, 안 될지를 확인하기 위해.

순영은 그 속내를 꾹 감췄다.

"다만 타향에서 귀신이 될 뻔한 인민들을 고국으로 되돌려 준 은혜에 대한 값을 치르는 것뿐이디요."

"으음……."

그 북한이기에 좀 믿기지는 않지만 일단 믿을 수밖에 없다.

"그…… 철이와 희야는 일없습네까?"

"훗. 국정원 쌀을 거덜 내고 있대요."

순영은 순간 달아오르는 얼굴을 가렸다.

"내가 그러디 말라고 그렇게 가르쳤는데 또……."

안에서 새는 바가지 바깥에서도 샌 것 같다.

"뭘요. 원래 그 나이 땐 잘 먹어야 정상이죠. 자, 여기요."

종혁은 얼른 가져온 사진을 넘겨줬고, 순영도 얼른 사

진을 품에 챙겼다.

"미안합네다. 잘 좀 부탁드리갔시오."

"걱정 마세요. 제 손을 잡은 아이들을 놓지는 않을 테니까."

순영은 이렇게 말해 주는 종혁이 너무 고마웠다.

—칙! 복귀하라.

"이제 가 봐야 할 시간이군요."

"조심히 가세요."

"동무도. 그럼."

그렇게 둘은 분단선을 가운데 두고 서로 등을 돌렸다.

* * *

판문점에서 돌아온 후, 종혁은 다시 일상으로 돌아갔다.

휴가를 다녀오지 못한 형사들은 휴가를 다녀왔고, 그때를 맞춰 마약대에서 사건이 넘어왔다.

손이 남는 형사들이 한자리에 모였고, 브리핑이 시작됐다.

"어? 운동선수?"

모두의 시선이 종혁에게로 향한다.

태릉선수촌의 마당발이었다는 종혁.

그걸 본 종혁은 킥킥 웃었다.

"재밌네요."

'맞아. 이런 사건이 있었지.'

일명, 축구선수 마약 게이트.

한국을 제법 들썩이게 만들었던 마약 사건이었다.

* * *

부우웅!

고속도로를 달리는 차 안.

드르렁 김종두 과장의 코골이 소리가 울린다.

ㅡ김해 여고생 집단 강간 미수 사건에 대한 첫 공판이…….

라디오에서 흘러나오는 뉴스에 시선을 돌린 종혁의 눈이 빛난다.

“햐, 이 개새끼들 드디어 재판 받네.”

어느새 일어난 김종두가 졸린 기운을 억지로 몰아내며 라디오를 죽일 듯 노려봤다.

회귀 전 전국을 떠들썩하게 했던 김해 여고생 집단 윤간 사건. 형사로서 볼 꼴, 못 볼 꼴 다 봐 왔던 종혁으로서도 차마 입에 담지 못할 사건이었다.

그러나 회귀 전과 달리 막았다.

“어떻게 될 것 같냐?”

“무조건 실형이죠.”

“그렇지? 좆같은 소년법이라도 이번엔 다르겠지?”

당연히 실형일 수밖에 없다. 회귀 전과 달리 놈들을 보호할 사람은 단 한 명도 없으니까.

김해에서 대단한 유지인 아버지를 둔 악마들의 만행.

검사도, 판사도, 언론도, 심지어 경찰과 피해자들의 부모들까지도 모두 그 악마들의 편이었고, 피해자들은 처참히 짓밟힌 채 하지 말아야 할 선택을 하고 만다.

'너희가 먼저 꼬리친 거 아니냐'는 망언은 다시 생각해도 토악질이 날 정도다.

하지만 지금은 아니다.

놈들의 범행은 미수에서 그쳤고, 이 악마들을 보호할 사람은 단 한 명도 없다. 그렇게 만들었다.

'그러니 이번엔 회개해라, 이 개새끼들아.'

혀를 찬 종혁은 아예 라디오를 꺼 버렸다.

"아으으! 어우, 나도 나이가 들긴 들었나 봐. 요새 계속 낮잠이 오네."

"뭘요. 아직 한창이시죠. 커피 한잔 드실래요?"

"커피? 좋지."

김종두는 무전기를 들었다.

"애들아! 다음 휴게소에 커피 때리자!"

―칙! 과장님이 사십니까?

―정말? 과장님이 사는 거야?

―잘 먹겠습니다!

뒤에서 따라오고 있는 형사들의 외침.

"에라이. 그래. 산다, 사! 그러니 고!"

―오오오!

피식 웃은 종혁은 속도를 조금 더 높였다.

와아아!

울산의 문수축구경기장.

오늘 경기를 찾은 사람들이 열띤 응원을 한다.

그곳엔 김종두도 있었다.

“그렇지! 달려!”

언제 산 건지 응원용 수건을 휘두르며 열정적으로 엉덩이를 들썩이는 그.

그런데 그런 김종두 곁에는 종혁뿐이다.

다른 형사들은 모두 부산, 대구, 전주 등 축구클럽이 있는 도시로 흩어졌기 때문이다.

일명 축구선수 마약 게이트. 아니, K-리그 마약 게이트.

그렇다. 게이트라 불릴 정도다.

거의 모든 구단에 약쟁이들이 있는 것이었다. 현재 혐의가 있다고 의심되는 건 겨우 7명뿐이지만 말이다.

“슛! 슈웃!”

“아아!”

“아오, 씨! 저 개발 새끼!”

“뒤져, 이 새끼야!”

너무도 거대한 대포동 미사일 슛에 종혁은 온갖 욕을 쏟아 냈고, 김종두는 그런 종혁을 보며 눈을 껌뻑였다.

“너 축구 좋아했냐?”

“아뇨?”

종혁이 가장 좋아하는 스포츠는 유도다.

첫 번째도 유도, 두 번째도 유도, 세 번째도 유도.

유도 말곤 딱히 관심이 없다.

"그런데 왜……."

"원래 이런 경기장 오면 이렇게 응원해 주는 게 맛이잖아요."

"……아, 그건 맞지."

"그러는 과장님은요? 대현타이거 팬이세요?"

"아니. 나도 너랑 똑같아. 울산에 왔으면 울산 팀을 응원해야지."

"아하."

"그렇지! 가라, 가! 패쓰! 야, 인마! 패스-!"

"그래! 가자아-!"

와아아아아!

그렇게 뜨거운 전반전과 아리따운 치어리더들의 응원이 끝나고 다시 후반전이 시작됐다.

종혁은 후반전에 교체되어 나오는 이십대 중반의 선수를 보며 눈을 빛냈고, 김종두는 얼굴을 구겼다.

"박상영 저 씹새끼."

"아세요?"

"알지. 왜 몰라."

작년 시즌 총 16경기에 출전해 5골 9도움을 한 대현타이거의 공격형 미드필더다.

김종두가 응원하는 팀에게만 1골 2도움을 한 나쁜 놈. 이번 시즌은 더 가관이다.

4경기 출전했는데 벌써 1골 2도움이나 했다.

"어떡하실래요? 본부부터 설치할까요, 아님 풀부터 건

드려 볼까요?"

"풀? 타초경사? 호오……."

종혁이 하고픈 말을 단숨에 알아들은 김종두는 눈을 빛냈다.

"만날 수는 있고? 너 축구 쪽엔 인맥 없다며."

맞다. 야구와 농구는 제법 아는 선수들이 있지만, 유독 축구만큼은 인맥이 없다.

'있다면 병조 형 정도지.'

1998년 방콕 아시안게임에서 친분을 갖게 된 대한민국 대표 수문장 김병조.

박찬오 선수와 거의 맞먹을 만큼 수다쟁이에다가 활발한 성격을 가지고 있으며, '돌아오지 않는 골키퍼'라는 악명이 있는 선수다.

'그런데 그 형은 입이 너무 가벼워서…….'

그래서 현재 포항에서 뛰고 있는 그에게 안 간 거다.

"대신 여기 구단 기업이 대현이잖아요."

"응? 아, 맞아. 너 출발하기 전에도 그 말 했지. 대체 그 말이 무슨 뜻이야?"

종혁은 대답 대신 핸드폰을 들었다.

"네, 이모. 저 종혁인데요. 제가 가진 대현중공업 지분이 얼마나 있죠?"

왕자의 난 때 매입해 놓았던 주식들.

김종두는 입을 떡 벌렸다.

하지만 정말 경악스러운 일은 그 이후에 벌어졌다.

—최종혁 경위님 전화 맞습니까? 나 현몽준입니다. 제 기업의 도움이 필요하다고 해서 연락드렸습니다.

현몽준 당대표.

그저 작은 협조만 바랐을 뿐인데 끝판왕이 등장해 버렸다.

이번엔 종혁의 입이 떡 벌어졌다.

* * *

대현스포츠 클럽하우스의 단장실.

울산 대현타이거의 단장 대리이자, 울산 대현 스포츠의 부장 유동국이 메마른 입술을 핥는다.

방금 전, 저 위에서 명령이 내려왔기 때문이다.

—곧 아주 중요한 손님이 찾아갈 테니 성심성의를 다해서 대해라.

현 회장님도 아니고, 그보다 위인 대현중공업의 진짜 주인에게서 하달된 명령이다.

긴장이 되지 않는다면 결코 사람이라 할 수가 없다.

똑똑!

"손님께서 도착하셨습니다."

"어서 안으로 모셔 주세요!"

벌떡 일어난 유동국은 문이 열리자마자 허리를 깊이 숙였다.

"울산 대현타이거의 단장 대리를 맡고 있는 유동국입니다! 단장님께선 본사에 계신지라 부득이하게 제가 맞이하게 됐습니다! 정말 죄송합니다!"

소나기처럼 쏟아 낸 그의 말에 종혁과 김종두는 당황했다.

"괘, 괜찮습니다."

"예, 괜찮습니다."

"감사합니다! 오시느라 힘드셨죠? 김 양, 여기 시원한 녹차 한 잔이랑…… 어떤 걸 드시겠습니까? 녹차, 커피, 쌍화차 아무거나 말하셔도 됩니다!"

"전 아이스 밀크커피로 주세요. 과장님은요?"

"율무차도 되나?"

"그럼요! 됩니다! 들었지? 얼른 가져와요! 아, 여기로 앉으시죠."

유동국은 본인이 앉아 있던 상석까지 양보했다.

그에 김종두는 종혁을 보며 혀를 내둘렀다.

'역시 돈의 위력이…… 아니, 이번엔 인맥 빨인가? 이 놈은 대체 그분과 어떻게 아는 사이인 거야?'

종혁도 모른다고 했지만, 예상이 안 가는 건 아니다.

연예인 스폰서 사건인 삼성클럽 사건 때 배후였던 인물이 현몽준의 참모였다.

'아닌데. 이놈은 그런 거 뽐낼 놈이 아닌데.'

그리고 뽐냈다고 한들 정치인이 일개 형사를 가까이 하려 할까. 종혁이 아무리 돈이 많다고 해도 힘든 일이다.

하지만 아무리 생각해도 그것밖에 없었다. 종혁과 현몽준이 이어질 수 있는 일은.

그런데 종혁도 그렇게 생각하고 있었다.

'내가 그 영상 자료들을 넘겼다는 걸 들킨 거겠지? 그렇다면 제법 괜찮은 분이시네.'

분명 이유를 설명했는데도 현몽준은 흔쾌히 허락했다. 아니, 그걸 넘어 노여움마저 드러냈다.

"저, 그런데 어디서 오신 분들이신지…… 죄송합니다! 제가 급하게 오느라 미처 전달을 받지 못했습니다!"

"아, 저흰 경찰청 특수범죄수사과에서 나왔습니다. 경위 최종혁입니다."

"과장 김종두입니다."

"……예?"

종혁은 사정을 설명했고, 유동국은 눈을 부릅떴다.

"무, 무슨!"

똑똑똑!

나가려던 혼을 겨우 붙잡은 그는 얼른 들어오라 말했고, 곧 비서가 들어와 음료들을 내려놓았다.

"지금부터 10미터 내로 아무도 접근시키지 마세요. 김양도 나가 있고."

"네? 네, 알겠습니다."

비서가 문을 닫고 나가자 유동국은 겨우 잡았던 정신을 다시 놨다.

"그럴 리가요! 그럴 리가 없습니다!"

종혁은 눈빛을 차갑게 가라앉혔다.

"단장 대리님, 저흰 부산경찰청이 아니라 서울에 있는 본청에서 나온 겁니다. 이 말이 무슨 뜻인지는 잘 아시리라 믿습니다."

정황 증거는 넘쳐 난단 소리다.

"그런……."

넋이 나간 유동국은 소파 위로 무너졌다.

하지만 그것도 아주 잠깐이었다.

이내 그는 종혁과 김종두 과장이 무작정 밀고 들어와 협조를 요청한 게 아님을 기억해 냈다.

'현몽준 회장님도 알고 계시구나!'

대현중공업의 진짜 주인이 허락한 일이다.

여기서 발뺌을 했다간 유동국 그가 회사에서 사라지게 될 터.

오싹!

그는 빠르게 정신을 수습했다.

"제가 어떻게 하면 되겠습니까."

그의 눈빛이 돌변하자 종혁은 미소를 지었다.

이렇게 온 이상 당연히 해야 될 일은 하나다.

"메디컬 테스트를 진행하시죠. 1군부터 2군 선수단 전원뿐만 아니라 코치, 감독까지 모두!"

회귀 전, 울산 대현타이거에서 마약 복용 사실이 입증된 사람의 숫자는 총 네 명. 그중 세 명은 선수였고, 나머지 한 명은 코치였다.

* * *

"뭐? 메디컬 테스트?"

아침 훈련을 나온 울산 대현타이거의 1군 선수들이 동요를 보인다.

"아니, 이게 무슨 짓이야! 경기에 집중해도 모자랄 판에 메디컬 테스트라니! 지금 시즌 중인 거 몰라?!"

불같이 화를 내는 감독의 모습에 선수들이 격하게 동감한다.

메디컬 테스트.

당연히 좋다. 구단이 그들의 몸을 신경 써 주는 거니까.

하지만 지금은 리그가 진행 중이다.

감독의 말처럼 경기에 집중을 해야 되는데, 메디컬 테스트 같은 것을 해서 컨디션을 망칠 순 없었다.

혹시라도 메디컬 테스트에서 그들이 느끼지 못하던 부상이라도 발견되면?

그땐 경기를 뛰지 못하게 될 것이다.

어쩌면 시즌 아웃.

어렵사리 1군 멤버가 되거나 지켰는데 그렇게 된다면?

그들의 낯빛은 어두워질 수밖에 없었다.

특히 나이 든 선수나 요새 몸이 좀 나쁜 선수들은 안절부절못했다.

그런데 그들과 다른 의미로 낯빛이 어두워진 인물이 있

었다.

"혀, 형."

"쉿!"

말을 거는 후배 선수를 진정시킨 박상영은 떨리는 눈으로 직원을 봤다.

"아니, 왜 저한테 화를 내세요! 전 그냥 단장님이 한 말을 전달한 것뿐인데!"

"그런 말도 안 되는 걸 막으라고 있는 게 너희잖아! 너 씨발 그렇게 일하고도 월급 받고 싶냐?!"

"아, 몰라요! 아무튼 다음 주까지 모두 다 지정된 병원에서 메디컬 테스트 진행할 거니까 그렇게들 아세요! 감독님까지도요! 난 전달했습니다!"

"야! 야-! 저 씨발!"

감독은 멀어지는 직원을 죽일 듯 노려보다 다급히 핸드폰을 꺼내 들며 돌아섰다.

"예, 단장님! 저 박 감독입니다! 이게 지금 뭐하는 짓입니까!"

감독도 멀어지자 코치들이 혀를 차며 선수들을 봤다.

"뭣들 해? 몸 풀어! 오늘 경기 안 뛸 거야?!"

"예, 옛!"

그리고 그날 오후.

아침의 일 때문인지 앙숙이자 동해안 더비인 포항과의 경기에서 2점 차로 패배해 버린 그들은 답답하고 짜증나는 얼굴로 복귀했다.

다음 날 경기가 없기에 선수들은 술을 마시기 위해 나왔고, 그들 사이엔 박상영도 있었다.

울산 번화가의 한 룸소주방.

“저, 정말 저 어떻게 하죠? 2군까지도 메디컬 테스트 받는대요!”

오늘 2군 스케줄이 끝나자마자 달려온 2군의 어린 선수도 발을 동동 구른다.

“생각 중이니까 좀 닥쳐 봐.”

솔직히 그냥 구단 내에서 메디컬 테스트를 진행했다면 그리 큰 문제는 없다. 결과를 조작해 줄 사람이 있으니까.

하지만 지정된 병원이라고 말했다.

‘대체 어느 병원에서 메디컬 테스트를 받는다는 거야?’

드륵!

문이 열리며 삼십대 후반의 사내가 들어온다.

“미안. 늦었지!”

“코치님!”

박상영은 다급히 입을 열었다.

“어느 병원인지 알아내셨어요?”

“동서병원.”

“미친!”

모두가 탄식을 내지른다.

동서병원, 동서의료재단은 울산에서 제일 큰 병원이었기 때문이다.

코치는 박상영을 봤다.

"……저보고 뭘 어쩌라고요! 저도 동서병원은 모른다고요!"

"그럼 이대로 들키자고? 너야 일본이든 중국이든 해외로 뜨면 되지만, 나는? 일개 코치인 나는! 집이고 회사고 다 여기에 있는 나는, 이 새끼야!"

"그걸 나한테 왜 말하는데요! 내가 강요했습니까? 당신이 알아서 한 거잖아!"

"그러니까 뭐라도 좀 해 보라는 거잖아! 나만 급하냐? 어? 여기서 나만 급하냐고!"

"알았어요! 알았으니까 좀 닥쳐 봐요!"

"이 새끼가……!"

"그럼 뒈지든가-!"

금방이라도 주먹을 휘두를 듯 험악해진 분위기.

하지만 정말 주먹을 휘둘렀다가는 감당할 수 없는 일이 벌어지기에 그들은 참아야 했다.

그렇게 시간이 흘러 겨우 화를 참은 박상영은 입술을 깨물며 핸드폰을 들었다.

"하, 씨발. 돈 졸라 깨지겠네."

그는 어딘가로 전화를 걸었다.

-어이구, 이게 누구십니까. 내 소중한 고객님 아닙니까?

박상영은 얼른 사정을 설명했다.

-아하. 그런 일이 있었군요. 그러니까 고객님의 말은 동서병원에서 이번 테스트를 맡을 의사를 어떻게 해 달라?

"가능하겠어요?"

–흐흐. 당연히 가능하죠. 날 뭘로 보고. 그런데 이게 좀…… 저번에 고객님 면제받게 하기 위해 개인병원에서 검사 결과를 조작한 것과는 차원이 다른 일이라…….

군 면제. 지금 박상영과 통화하는 사람은 단순한 마약 거래상이 아니었다. 보다 깊게 그들과 얽혀 있었다.

–알죠? 그런 큰 병원 의사 놈들 대가리 굵은 거?

"2장."

–5장은 필요합니다.

"……오케이, 콜. 알았어요. 그럼 난 당신만 믿습니다."

–흐흐. 돈이나 준비해요.

전화를 끊은 박상영은 한숨을 길게 내쉬곤 사람들을 훑어봤다.

"뭐해요? 나 술 없는데?"

"아, 응!"

"어이구. 미안. 방금 전엔 내가 좀 그랬지? 자, 자! 화 풀고!"

박상영은 헤헤헤 실없이 웃기 시작한 3명을 보며 속으로 혀를 찼다.

'이번 일만 끝나면 멀리해야겠네.'

인생에 도움이 안 되는 놈들. 왜 이런 놈들에게 약을 권했을까 박상영은 작게 후회했다.

"자! 짠!"

"짠!"

그렇게 겉으론 화기애애한 술판이 시작됐다.

한편 그들의 옆 룸.

귀에 이어폰을 꽂은 채 술잔을 기울이던 김종두 과장이 입술을 비튼다.

“이야, 역시 러시아제가 좋네.”

“그렇죠?”

‘SVR이 쓰는 거라서 그래요.’

저들 룸의 문 바깥에 도청기를 붙였을 뿐인데도 안의 대화가 선명하게 들린다.

“타초경사 효과도 죽이고요.”

“크으. 그건 예술이지.”

보라. 풀을 흔들었을 뿐인데, 박상영뿐만 아니라 함께 약을 한 것으로 추정되는 놈들까지 모두 튀어나왔다.

이제 그물을 던져 낚아 올리기만 하면 된다.

솔직히 수사가 이렇게 쉬워도 되나 싶을 수준이다.

‘역시 종혁이 넌…….’

김종두의 눈빛이 부담스러워질 정도로 빛나자 종혁은 재빨리 화제를 돌렸다.

“그런데 박상영과 통화한 이놈은 누굴까요?”

“그건 이제부터 알아봐야겠지.”

이것도 오래 걸리진 않을 거다. 박상영의 말이 많은 단서를 던져 줬기 때문이다.

“아오, 이거 소주잔에 마시려니까 감질나서 못 먹겠네.”

"그럼 글라스 체인지?"

"뭐해? 소주부터 더 시켜."

"흐흐. 옙!"

종혁은 활짝 웃으며 호출 벨을 눌렀다.

그렇게 그들의 술자리도 시작됐다.

* * *

웅성웅성.

그렇지 않아도 매일 몰려드는 환자들로 인해 시끄러운 동서병원이 갑자기 찾아온 축구선수들로 인해 더 시끄럽다.

X-ray부터 시작해 심전도 검사, 내시경 검사에 혈액 검사까지 받는 그들.

"하. 발목이나 무릎 괜찮겠지?"

"척추도 문제잖아."

"난 그것보다 간 수치나 신장 수치가……."

"그러게 술 좀 작작 마시라니까."

서른 살이 넘은 선수들의 표정이 어둡다.

이제 막 가정을 이루거나 가정을 이룬지 몇 년 되지 않은 그들. 한창 벌어야 할 타이밍에 명단에서 제외가 된다면 당장 생계부터 문제가 생긴다.

그들은 부디 메디컬 테스트를 아무런 이상이 발견되지 않기를 간절히 바랐다.

"진짜 이게 뭔 날벼락인지."

"다음 환자분 앞으로 나오세요."

"후우."

그들은 무거운 마음을 움켜쥐며 혈액채취실안으로 들어갔고, 간호사들과 서글서글한 인상의 사십대 의사가 반겼다.

"따끔합니다. 자, 따끔?"

"윽! 슨생님, 아픈데요."

"아아! 너무 많이 뽑는 거 아니에요? 어지러운데?"

"운동선수들이 뭔 엄살을 이리 부려요. 우리 예쁜 간호사님들 보기 부끄럽지 않아요?"

"……."

"아아아!"

그렇게 시끌벅적한 혈액채취가 끝나자 간호사들이 혈액 샘플을 챙긴다. 검사실로 옮기기 위해서다.

그때였다.

"놔두고 나가 봐요. 내가 할 테니까."

"네? 또요?"

"선생님, 이런 건 저희가 하게 해 주세요!"

서글서글한 인상답게 성격도 좋은 그.

"후후. 한 사람만 움직이면 되는데 뭘 여러 사람이 움직여요. 가 봐요."

"어휴. 알겠습니다. 하지만 다음부터 이러시면 안 돼요?"

"그래요, 그래."

왠지 다음에도 이럴 것 같은 그의 모습에 한숨을 폭 내쉰 간호사들은 허리를 꾸벅 숙이곤 나갔고, 채취실엔 침묵이 내려앉았다.

그에 의사는 가지런히 정리 된 혈액 샘플들을 바라보며 가운 주머니에 손을 넣었다.

달그락.

그의 손아귀 안에 잡히는 서늘한 CBC보틀의 감촉.

그와 동시에 서글서글 웃던 낯이 딱딱하게 굳는다.

의사로서의 양심이 꿈틀거리며 어떤 생각과 맹렬히 싸운다.

하지만.

"후……. 빌어먹을. 그놈의 빚만 아니라면."

보통 빚이 아니다.

도박 빚. 저승사자도 학을 뗀다는 도박 빚이다.

결국 그는 의사로서의 양심보다 생존 욕구를 택할 수밖에 없었다.

"진짜 내가 다시 도박장에 얼씬거리면 개다, 개."

눈을 질끈 감은 그는 박상영이란 이름이 적힌 혈액 샘플에 손을 가져갔다.

"수고하셨습니다."

"네, 수고하세요."

의사, 간호사들에게 인사를 하며 주차장으로 향한 그는 차를 몰고 울산의 버스터미널로 향했다.

저녁임에도 제법 사람들이 돌아다니는 버스터미널 안.

보관함 캐비닛 앞에 선 그는 바지 주머니에서 꺼낸 열쇠로 한 보관함을 열었다.

"……."

안에 든 가방을 보며 눈을 파르르 떠는 그.

조심스럽게 주위를 둘러본 그는 가방을 향해 손을 뻗었다.

지이익!

"흡?!"

만 원 다발의 향연.

그의 숨이 멎었다.

한편 터미널 입구 안쪽에 선 종혁이 묘한 미소를 지었다.

"느낌 딱 오네. 아무래도 이쪽 같습니다, 과장님."

뜬금없이 버스터미널 주차장에 차를 세우더니 터미널 안으로 들어온 것도 모자라 보관함 앞을 서성인다.

바로 답이 나왔다.

종혁은 이걸 설명했고, 김종두 과장은 피식 웃었다.

-너무 옛날 방식인데?

"하지만 제법 확실한 방식이잖아요."

김종두는 동의했다. 확실히 계좌이체보다 추적을 덜 당하는 방식이다.

'그러나…….'

이 방식엔 치명적인 문제점들이 있었다.

'어이구, 고마워라.'

함박 미소를 짓던 종혁은 이내 낯빛을 굳혔다.

“문 열었습니다. 따겠습니다.”

종혁은 의사가 보관함의 문을 열자 발을 뗐다.

그 순간이었다.

흠칫!

–잠깐.

‘잠깐만.’

동시에 잠깐을 외치는 둘.

–종혁아, 멈……

“멈췄니까 걱정 마세요.”

보관함에 돈을 넣고 그 키를 배달하는 옛날 방식으로 거래를 주선한 놈들이다.

지켜보는 놈이 있을 확률이 높다.

–네가 그걸 어떻게 아는 건데, 인마.

김종두는 어이없다는 듯 웃었고, 종혁은 어깨를 으쓱였다.

그리곤 눈빛을 가라앉히며 의사에게 다가갔다.

아니, 정확히는 그를 지나쳐 그 옆에 있는 편의점으로 향했다.

그러며 귓가에 손을 얹었고, 흠칫 놀란 의사가 보관함을 온몸으로 막았다.

“삼촌! 저 터미널에 먼저 도착했는데, 마실 것 좀 살까요?”

–몇 명 보이냐?

“예? 네 개나요? 에이, 진짜!”

그렇게 안으로 들어온 종혁은 커피를 고르는 척 편의점 바깥을 응시했다.

—넷이나 돼? 못 따지? 미행 가능하냐?
"힘들죠. 이걸 어떻게 혼자 다 들고 가요."
—에이.
잠시 창밖을 주시하던 그때, 의사가 주차장 쪽으로 나가자마자 근처 벤치에 앉아 있던 놈이 터미널 밖으로 향한다.
그 모습을 확인한 종혁은 편의점 밖으로 나왔다.
"일단 하나만 들고 갈게요."
—오케이! 그놈이 뭘 타고 어디까지 가는지 확인해!
"옛썰."
안 그래도 그러려고 했다.
종혁은 모자를 눌러쓰며 밖으로 나가는 젊은 놈의 뒤를 밟았다.

탁!
"후우웃!"
지이익!
운전석에 앉자마자 가방 지퍼를 열었던 그는 마른침을 삼켰다.
가방에 가득 든 만 원짜리 지폐 뭉치들.
"이, 이게?"
역시 잘못 본 게 아니었다.
대충 봐도 약속했던 것보다 많은 액수다.
대체 자신이 도박에 중독된 걸 어떻게 안 건지, 도박

빚 액수를 어떻게 알았는지 딱 그 액수를 제시했던 악마.

띠리링!

갑자기 울리는 핸드폰에 화들짝 놀란 그는 얼른 전화를 받았다.

"여보세요?"

-3천 정도 더 챙겨 넣었어요. 그럼 다음에 또 봅시다.

"아니, 난 이제……."

달칵!

"여보세요! 여보세요!"

끊긴 전화를 망연자실 바라보던 그는 가방 안을 응시했다.

3천만 원.

의사인 그에게도 3천만 원은 큰돈이다.

그래서 사람의 마음이 참 간사하다 느껴졌다.

방금 전까지만 해도 의사로서의 양심을 저버린 것에 괴로웠는데, 3천만 원의 공돈이 생기니 그 고통이 줄어든다.

"……그래, 상부상조야."

박상영 등은 선수 생활을 이어 가서 좋고, 자신은 도박 빚을 갚아서 좋다.

그렇게 변명하며 지퍼를 닫은 그의 입가엔 어느새 미소가 맺혀 있었다. 사람 좋아 보이던 그라곤 생각지도 못할 뒤틀린 미소.

차창을 내린 그는 담배를 물었다.

"푸후우. 이거 밑천이 생겨 버렸네."

3천만 원이면 얼마나 딸 수 있을까.

혈액 샘플을 바꿔치기할 때 했던 다짐을 잊어버린 그는 씩 웃으며 핸들을 잡았다.

그 순간이었다.

저벅저벅!

“어이구. 지랄 염병을 하고 자빠졌네. 상부상조는 개뿔.”

흠칫!

“누, 누구…… 읍?!”

쿵!

보닛에 손을 올리며 의사의 멱살을 틀어쥔 종혁은 사납게 웃었다.

“경찰입니다. 그러니 그 가방 내놔라, 이 개새끼야.”

＊ ＊ ＊

“스으읍! 후우우.”

축구 경기장의 선수 전용 화장실.

손가락으로 이를 훑은 박상영이 거울을 보며 가슴에 손을 올린다.

두근두근 가쁘게 뛰는 심장.

언제나 경기 날이 되면 심장은 가쁘게 뛴다. 모든 신경이 예민해지며 멀리 있는 소리마저 들리고, 정신마저 고양된다.

긴장이나 흥분 때문이 아니다.

박상영은 빨간 가루가 묻은 휴지 뭉치를 보며 씩 웃었다.

정말 우연한 기회에 알게 된 보물.

하지만 아주 조심스럽게 써야 하는 보물이다.

극소량으로 섭취하면 엄청난 효과를 내지만, 과하게 먹었다간 도리어 몸과 정신을 망치고 마는 양날의 검. 마약.

흔히 마약은 중독성이 강해 끊을 수 없다지만…….

"그건 모두 의지박약아들의 변명일 뿐이지. 난 그런 놈들과 달라."

이렇게 경기 때만 극소량으로 쓰는데 왜 중독이 되겠는가.

쿠르릉!

변기물에 쓸려 가는 휴지 뭉치를 차갑게 응시하던 그는 볼을 쫙쫙 치며 돌아섰다.

"후아. 가자!"

그는 가슴을 쭉 펴며 대기실로 향했다.

그리고 약 2시간 후.

"형! 오늘 멋졌어요! 진짜 약 빤 수준이던데요?"

"상영이 오늘도 날아다니던데? 진짜 너 따로 먹는 거 있지? 있으면 나도 같이 좀 먹자!"

부러움과 질투 어린 시선을 보내는 선후배들이 던지는 말에 순간 뜨끔한 박상영은 손을 저었다.

"에이, 좋은 거는요. 그런 거 없어요."

"왜? 너희 집 부자라서 그런 거 잘 먹지 않아?"

"똑같이 클럽하우스 식당 밥 먹는데 무슨……."

"박상영!"

"예, 감독님!"

그는 재빨리 감독에게로 향했다.

감독은 후다닥 달려온 박상영을 보며 흐뭇해했다.

'이제야 포텐셜이 터지는 건가?'

작년부터 갑자기 기량이 확 늘어나더니 올해에 들어선 포텐셜이 터진 것처럼 엄청난 성적을 보이고 있다.

'연습 게임 때는 참 헤매는 놈이 실전만 들어갔다 하면…….'

실진에 강한 타입이라고 봐야 했다.

"감독님?"

"음? 아, 잘했어. 이대로만 해. 그러면 내가 다음 월드컵에 너 꼭 추천한다."

"헉!"

월드컵 국가대표.

사라진 약발이 다시 솟은 것처럼 온몸에 전율이 흐른다.

'내가 국가대표? 재작년까지 벤치만 달구던 내가?'

"가, 감사합니다! 열심히 하겠습니다!"

"그래. 더 열심히 해. 아, 그리고 단장실 가 봐."

"단장님께요?"

고개를 모로 기울이던 박상영은 눈을 부릅떴다.

'서, 설마?'

재계약 아님 연봉 조정이다.

검지를 입에 가져다 붙인 감독은 손을 저었고, 박상영은 다급히 단장실로 달려갔다.

'내가 연봉 조정 대상이라니!'

돈이 문제가 아니다.

인정을 받았다는 것. 그게 형언할 수 없는 쾌감을 가져다줬다.

"씨발, 이러다 나도 해외 가는 거 아니야?"

역시 마약이 보물이었다. 정말 보물이었다.

"헉헉헉!"

단장실 앞에서 서서 숨을 고른 그는 손을 들었다.

똑똑똑!

"예, 들어오세요."

'후.'

숨을 짧게 내뱉은 그는 문을 활짝 열었다.

"단장님, 부르셨다고…… 어?"

박상영은 눈을 껌뻑였다.

단장실 안에 단장뿐만 아니라 익숙한 얼굴이 있다.

여기에 있으면 안 되는 한 사람. 코치.

그런 그의 손목에 수갑을 채워져 있다.

오싹!

"어…… 제, 제가 올 타이밍이 아니었나 보네요. 그, 그럼……."

툭!

뒷걸음질을 치던 박상영은 갑자기 등에 벽이 닿자, 같자 고개를 돌렸다가 그대로 굳어 버렸다.

그와 동시에 얼굴을 덮는 커다란 손.

"자, 들어가자. 뽕쟁아."

한껏 부풀었던 꿈이 터져 버리는 순간이었다.

* * *

울산에 있는 어느 최고급 호텔의 스위트룸.

헤드셋을 쓴 종혁과 김종두 과장이 화상채팅이 켜진 모니터를 본다. 그런 둘의 뒤에 사진과 글이 빼곡하게 적힌 커다란 화이트보드가 있다.

"자, 그럼 정리하겠습니다."

화면 속 특수범죄수사과 형사들이 눈을 빛내고, 종혁은 화이트보드 앞에 섰다.

"이름 미상. 일명 브로커."

신원 미상이라 일단 그렇게 붙였다.

박상영과 의사의 핸드폰에서 일치하는 전화번호를 찾았지만, 대포폰 번호여서 신원을 알 수가 없었다.

아는 거라곤 현재 본청으로 향하는 박상영과 의사를 통해 확보한 몽타주뿐.

그 스스로도 브로커라 칭해 달라고 했다고 한다.

그래서 종혁의 입술이 근질거렸다.

'아는데! 이놈이 누군지 아는데!'

이름 김판수. 나이 47세. 전과 없음.

지금 어디 있는지만 빼고, 다 아는데도 말을 할 수 없으니 정말 미쳐 버릴 것 같다.

속으로 한숨을 푹 내쉰 종혁은 말을 이어 갔다.

"합성마약의 한 종류인 YABA를 판매하는 놈으로서……."

-뭐? 야바?
-씨불? 야바가 한국에 들어왔어?
형사들이 동요를 보인다.
헤로인이나 필로폰, 코카인 등 흔히 아는 마약이 아닌 희귀한 마약인 YABA. 일명 크레이지 드럭.
암페타민류 마약과 합성한 마약으로, 암페타민류의 특징인 혈압 상승, 심박 증가, 동공 확대, 혈당 증가, 근력 증가 효과에 도취와 흥분, 폭력성까지 동반하는 미친 마약이다.
그래서 크레이지 드럭.
태국과 미얀마가 주 생산지다.
"이놈은 축구선수들에게 야바를 공급하는 한편, 선수들의 병역 문제에도 깊게 개입한 것으로 추정됩니다."
형사들의 눈이 동그래진다.
-그건 또 뭔 개소리야?
-병역 문제까지 얽혀 있다고? 어떻게?
"알부민이란 약물과 혈액을 소변에 섞은 뒤 소변 검사를 하여 신장 질환을 위장하고, 검사 전에 짙은 농도의 커피를 다량으로 섭취해 고혈압 수치를 높였다고 하더군요."
간장 질환자나 신장 질환자에게 투여되는 알부민.
그것을 혈액과 함께 소변에 섞으면, 소변 검사에서 사구체신염 등 신장 질환을 위장할 수 있다.
그리고 커피를 이용해 사구체신염 환자에게 몹시 위험한 고혈압 증상까지.

이것이 브로커 김판수, 놈의 수법이었다.

병역 관련 브로커로 전전하다, 이내 마약 판매까지 손을 댄 악질적인 놈.

―니미? 면제받는 게 그렇게 쉽다고?

한 형사의 외침이 모든 형사의 심정을 대변했다.

―이거, 그러면…….

"예. 월드컵이나 올림픽, 아시안게임 등의 메달로 인한 면제 판정이 아닌 다른 이유로 면제 판정을 받은 선수 전원 용의선상에 올려야 합니다."

쿵!

―와…… 돌겠네.

갑자기 사이즈가 커진다.

현재까지 혐의가 있다고 판단된 용의자의 수는 총 7명이었다.

아니, 울산 대현타이거에서 3명이 추가되어 10명.

혹시나 모두 검거하면 브로커에게 알려질 수도 있기에 일단 박상영과 코치만 검거한 상태다.

그런데 이 숫자가 몇 십 명, 아니 몇 백 명까지도 늘어날 수 있는 상황이다.

형사들은 담배를 물 수밖에 없었다.

―……종혁아. 만약에, 정말 만약에 2002 태극전사들도 여기에 얽혀 있다면 어떻게 되는 거냐?

―뭣?! 에이, 설마!

―형님! 그런 말 하는 거 아닙니다! 광화문에서 팬티 바

람으로 뛰어다닌 거 벌써 잊었어요?

"뭐 정말 그렇다면 엿 되는 거죠."

대한민국이 발칵 뒤집힐 거다.

'다행히 마약에는 얽혀 있지 않지만…….'

병역 비리에는 얽힌 사람이 몇 명 있다. 벤치 멤버였던 이들 중 몇 명이.

씁쓸하게 웃은 종혁은 브로커 밑에 붙은 커다란 명함 사진을 가리켰다.

"그럼 다음으로 넘어가겠습니다. 이름 고현수. 나이 31세. 절도 및 폭력 전과 3범. 서울 출생이며 인출책으로 추정됩니다."

1억 5천만 원이 든 가방에서 몇 개의 지문을 채취했다.

은행원과 이사, 그리고 인출책과 운반책으로 추정되는 놈들의 지문이었다.

이게 바로 옛날 방식의 문제점이다.

지문이나 DNA 증거가 남는다는 것.

지폐 뭉치를 두른 종이띠를 통해 확인된 은행원 지문으로, 놈들이 어느 은행을 이용했는지 확인할 수 있었다.

덕분에 고현수가 창구에서 현금을 이체하는 CCTV 영상까지 확보했다

다만 아쉽게도 통장은 모두 노숙자의 명의로 만들어진 대포 통장이었다.

"그리고 이름 이경도. 26세. 18살 때 본드 흡입 및 폭력으로 잠깐 소년원에 다녀온 적이 있습니다. 운반책으

로 추정됩니다.”

가방 손잡이에서 지문이 검출된 이경도.

돈가방을 챙긴 의사가 주차장 쪽으로 나가자마자 터미널 밖으로 향했던 놈이 바로 이놈이었다.

종혁은 이경도의 뒤를 밟으려 했지만 놈이 곧장 택시를 타는 바람에 급한 대로 자동차 번호판을 확인한 뒤 복귀할 수밖에 없었다.

후에 택시기사의 증언에 따라 놈이 내린 장소의 CCTV를 싹 훑었으나, 사람이 바글거리는 번화가에 내린 터라 아쉽게도 행적을 놓쳤다.

‘과장님이 같이 있었다면 놓치지 않았을 텐데!’

너무 아쉬울 수밖에 없었다.

그리고 고현수와 이경도, 두 사람의 교차점은 아직 파악되지 않은 상황이다.

“저희가 조사한 건 여기까지입니다. 현재 라차논에게 한국에 마약을 판매한 조직을 찾아 달라 부탁을 하긴 했지만…….”

찾을 확률이 얼마나 될까.

태국이 마약과의 전쟁을 선포하지 않는 이상 불가능한 일이다.

그런데 만약 태국이 아니라 미얀마에서 넘어온 거라면?

그냥 그쪽은 기대하지 않는 게 속 편하다고 봐야 했다.

그에 형사들은 혀를 내둘렀다.

-와, 이 짧은 시간에 이걸 다 알아냈다고? 미쳤네.

―대체 거기서 뭔 짓을 한 겁니까? 야, 종혁아. 너 뭔 짓 했지?

"시끄러워, 이놈들아. 니들 수사력이 부족한 건 생각 안 하냐?

―……하아?

―허허허. 이 양반이 이빨을 까시네. 좋습니다. 그럼 종혁이 보내 봐요. 종혁이 없이도…….

"됐고. 서울팀?"

―에라이.

"이 자식들이?! 야, 나 과장이야!"

―예, 예. 누가 뭐랍니까? 아무튼 번호 추적 결과 브로커가 사용한 대포폰이 개통된 장소를 찾았고, 내일 급습할 예정입니다.

신화전력통신.

누가 봐도 대포폰 업체다.

놈들을 급습하면 다른 몽타주가 나올 수 있었다.

"쯥. 오케이. 부산팀?"

이후 부산, 포항 등 형사들의 브리핑이 이어졌다.

하지만 딱히 유의미한 정보는 없었다.

그렇게 브리핑이 끝나자 김종두는 박수를 쳐서 시선을 주목시켰다.

"좋아. 그럼 서울팀은 내일 정보 얻으면 바로 연락하고, 나머진 계속 감시. 브로커가 나타나면 바로 검거하지 말고. 들키지 말고."

—예! 알겠습니다!

—수고하십쇼!

캠이 모두 꺼지자 김종두는 채팅 사이트를 나갔다.

그리고 화이트보드를 보며 혀를 찼다.

"이야, 이놈을 대체 어디서 어떻게 찾지?"

박상영을 통해 김판수를 추적할 수 있지 않을까 일말의 기대를 품었으나, 김판수는 예상보다 더 치밀했다.

처음 접근할 때를 제외하면 김판수는 철저히 거래 대상에게 접근하지 않았다.

모든 거래는 약을 어느 장소에 숨겨 놓으면 대포통장으로 이체시키는 형태로만 진행되었고, 통화를 나누던 연락처는 대포폰이었다.

결국 아직 놈의 꼬리조차 잡지 못한 셈이었다.

각 경찰청에 협조를 요청하면 편하겠지만, 어디까지 또 누구까지 얽혀 있는지 알 수가 없는 상황이다.

각종 이권이 얽혀 있는 K-리그.

김판수를 검거하기 전까진 절대 비밀을 지켜야 했다.

그래서 검거도 박상영과 코치, 의사만 하지 않았던가.

"찾을 곳이야 많죠."

"어디? 아, 하우스?"

도박장.

김판수가 어떻게 의사의 빚이 얼만지 알았겠는가. 의사가 자주 들른다는 하우스에서 정보를 얻은 거다.

즉, 하우스 직원 중 누군가는 놈과 만난 거다.

절대 전화상으로 만나진 않았을 터.

만약 하우스 직원 중 누군가를 만날 때, 김판수가 차를 타고 왔다면?

그것이 혹시 대포차나 렌트카라고 해도 유의미한 성과가 될 것이다.

하지만 종혁의 생각은 좀 달랐다.

"거기도 있지만 뽕쟁이도 있잖아요."

"응?"

"뽕쟁이는 뽕쟁이한테 물어봐야죠."

종혁은 사납게 웃으며 서울팀에게 전화를 걸었다.

"예, 삼촌. 마약반에 울산이나 부산에서 마약 파는 새끼 한 놈만 알아봐 주세요."

마약을 판매하는 장소는 마약을 하는 놈이 가장 잘 아는 법이었다.

7장. 돈이 뭐길래

돈이 뭐길래

옛날식 주택들이 밀집한 동네.

특수범죄수사과 형사 네 명이 허름한 3층 건물을 응시한다.

"에혀. 누군 이 추워지는 날에 마이 여며 가며 개고생하는데, 누군 호텔에서 룸서비스를 시켜 먹으며 띵가띵가 하는구나."

"부러우면 네가 가든지."

"아니, 그건 안 되고요. 희영이한테 죽어요."

휴가에서 삐끗한 지 채 2주도 지나지 않았다. 지금 그 먼 울산에 갔다가는 집에서 영영 나가게 되는 수가 있었다.

그건 여기에 있는 동료들도 마찬가지다.

"그럼 잔말 말고 일이나 해."

덜컥!

트렁크에서 야구방망이나 목검을 꺼내 든 그들은 3층 건물 위로 올라갔다. 그에 2층 계단에 의자를 놓고 앉아 있던 한 놈이 벌떡 일어났다.

"뭐냐, 너희는……."

퍼어억!

"익! 커이억!"

목을 붙잡고 구르는 놈을 무시한 그들은 놈이 지키고 있던 문을 열고 들어갔다.

제법 넓은 사무실. 그 안의 소파에 앉아 있던 덩치 네 명이 일어서고, 가장 안쪽의 책상에 앉아 있던 뱁새 인상의 사십대 중년인이 고개를 삐딱하게 기울인다.

"어디서 오셨습니까? 여긴 핸드폰을 판매하는 곳입니다만?"

"경찰인데 우리가 협조를 구할 게 있거든? 그런데……."

경찰이란 말에 바로 표정과 자세가 변하는 그들.

품 안에서 망치나 스패너 따위를 꺼내 든다.

"협조 안 할 거지?"

중년인이 씩 웃는다.

"영장은 가져오셨어요?"

"가져왔으면?"

"에이, 아시면서. 우리 그런 거에 고객 정보 넘기면 장사 못 해요."

중년인은 덩치들에게 손을 저었고, 형사들은 한숨을 탁

내뱉었다.

대포폰 파는 놈들을 꼭 이렇다. 영장을 들이밀어도 반항을 하거나 협조를 해도 제대로 된 정보를 넘기지 않는다.

이럴 때 방법은 하나다.

"그래, 좀 이따가 다시 이야기하자."

"하아. 진짜 종혁이 보고프다. 종혁이라면 이런 식으로 해결 안 할 텐데. 갠 지금쯤 뭘 하고 있을까?"

"모르지."

뭐든 지금보단 훨씬 좋은 곳에서 훨씬 편한 수사를 하고 있을 거다.

"뭐해? 내보내!"

형사들은 다가오는 덩치들을 향해 달려들었다.

* * *

후다다다닥!

"헉! 헉!

달빛이 수줍게 얼굴을 드러낸 밤. 낯빛이 퀭한 삼십대 중년인이 원룸가 골목길을 내달린다.

'씨발! 씨발!'

울산 지인에게 소개를 받았다기에 냉큼 달려왔더니만 저승사자가 있었다. 그것도 둘이나.

'그 개새끼! 잡히면 죽여 버릴 거데이!'

울산 지인을 떠올린 그는 이를 뿌드득 갈았다.

"종혁아! 다 왔어! 5초! 야, 거기서! 잡히면 뒤진다!"

"좆까!"

그는 더 강하게 땅을 박찼다.

이제 조금만 더 가면 된다.

조금만 더 가면 8차선 대로. 그것만 넘으면 저 저승사자들도 더 이상 쫓아오지 못할 거다.

'그래, 다 왔…….'

"종혁아! 지금!"

부아앙!

"어?"

고개를 돌린 그가 본 건 하얀색 오토바이와 가슴을 향해 날아오는 팔뚝이었다.

콰앙!

'켁!'

비명조차 지르지 못한 채 허공을 한 바퀴 돌아 추락한 그.

끼리릭!

오토바이에서 내린 종혁은 꿈틀거리는 놈의 팔뚝을 잡아 소매를 걷어 올렸다.

"어이구. 문신이 크다, 야. 호랑이나비야?"

호랑이 얼굴에 나비 날개.

"구멍이 하나둘…… 어이구야."

후다닥!

"아오! 씨발, 뽕쟁이 새끼가 사람 땀 빼게 하고 있어! 이걸 확 씨!"

"에헤이. 여기서 더 때리면 이놈 병원에 보내야 해요."

'그러게 내가 한다니까.'

이런 건 자신 같은 베테랑이 해야 들키지 않는다며 호언장담을 하더니 결국 이런 상황이 벌어지고 말았다.

'내가 오토바이 안 샀으면 어쩔 뻔했어?'

약쟁이들을 검거할 땐 약에 미친놈들이라 어디로 튈지 몰라서 특히 주의를 기울여야 하기에 기동성 확보가 가장 중요하다.

더욱 이곳은 어설픈 자는 한 치 앞도 못 가는 마굴, 부산이다.

"내, 내 뱅원 좀……."

가슴뼈가 부러진 건지 숨을 쉬기가 힘들다.

"병원? 왜? 여기가 아파?"

뿌드득!

"아아아아악!"

종혁은 죽일 듯 노려보는 약쟁이를 보며 이를 드러냈다.

그러며 맨 아래 갈비뼈에 손을 넣었다.

뿌드득!

"흐으어……!"

너무 아프면 비명조차 나오지 않는다고 하던가.

약에 절어 고통을 잘 느끼지 못하는데도 뇌가 하얗게 타 버릴 것 같은 고통이 느껴진다.

“흐어억!”

그는 식은땀을 뻘뻘 흘리며 종혁을 바라봤다.

종혁은 두려움이 서리는 그의 눈동자를 바라보며 입술을 핥았다.

“투약으로 짧게 살래, 아님 유통으로 길-게 살래? 얼른 다시 나와서 약 빠는 게 낫지 않겠어?”

“아, 안 할 건데요?! 끊을 겁니더!”

“개가 똥 끊는 소리 하지 말고.”

약쟁이가 교도소 갔다고 약을 끊는다? 100명 중 1명이나 그럴 수 있을까.

숨을 고르던 김종두도 비실 웃는다.

종혁은 사진 세 장과 몽타주 한 장을 꺼냈다. 그중 하나는 서울팀이 확보한 다른 조직원의 사진이었다.

“잘 봐. 이 넷 중에 아는 놈 있어?”

이미 숙이기로 마음먹은 그는 사진들을 빤히 바라보다 고개를 저었다.

종혁과 김종두는 한숨을 내쉬었다.

그렇다면 이젠 진짜 본론이다.

“그럼 야바 파는 애들 어디에 있는지 아냐?”

“야, 야바요? 쪽바리 아들 거쳐서 오는 거 말합니꺼? 그거 별로 수요 없을 낀데요? 캔디가 워낙 좋아가?”

캔디는 엑스터시를 뜻하는 은어다.

그러나 그게 중요한 게 아니다.

“일본?”

서로를 본 종혁과 김종두의 표정이 심각해진다.

"야, 그거 자세히 말해 봐."

"그게 저도 들은 이야긴데요……."

"그나마 다행이네."

발목까지 묶어 차에 밀어 넣고 현장을 벗어난 김종두가 담배를 문다.

이놈의 말에 따르면 일본 야쿠자가 깊이 개입한 건 아니라고 한다. 부산과 울산을 통해 들어오는 수많은 마약 중 끼어 팔기로 들어오는 수준.

차 뒷문을 연 종혁은 낑낑거리는 약쟁이를 봤다.

"정말 그 나이트클럽 말고는 없다는 거지?"

"예! 우리 부싼에서 야바 구하려면 거기밖에 없을 겁니더!"

따로 구하지 않는 이상 그렇다.

"부싼에서 아무거나 처먹는 놈들은 그놈아들뿐이라예!"

"달건이도 얽혀 있냐?"

"어데요! 우리 부싼에서 어깨에 힘주고 다니는 아들은 이제 찾아보기 힘듭니더! 짭새, 아니 갱찰님들이 눈에 불을 켜는데 어데요! 아마 있어도 지분만 쪼매 있을 겁니더!"

"이야, 세월 좋아졌네. 약쟁이 새끼들이 나이트클럽을 다 하고."

"고객 끌어모으기가 좋잖아요."

"아, 그러네."

나이트클럽은 신나게 놀기 위해 가는 장소다.

술 마시고 소리 지르다 보면 자연스레 더 큰 쾌락을 찾게 된다.

그때 접근을 하는 게 이놈들이다. 실제로 그리 멀지 않은 미래엔 마약 판매가 이런 방식으로 진화한다.

'역시 부산.'

대한민국에서 마약이 가장 먼저 풀리는 곳이다 보니 방식도 빠르게 진화하는 것 같다.

차문을 닫은 김종두는 담배를 깊게 빨았다.

"그런데 문제는 이 새끼들한테 어떻게 접근하냐는 건데……."

그놈의 보안만 아니면 부산청 형사들을 벌써 불렀을 거다.

"우리 애들을 내려오라고 해도…… 음."

종혁의 표정도 썩 좋지 못하다.

'일단 이 새끼들 모가지만 틀어쥘 수 있으면 좋을……아!'

뭔가가 떠오른 종혁은 김종두를 바라봤다.

"그럼 이렇게 해 보실래요?"

"응?"

종혁은 떠오른 걸 설명했고, 김종두는 헛웃음을 터트렸다.

그러나 대답은 바로 나왔다.

"오케이, 콜! 하자!"

종혁은 씩 웃었다.

* * *

과르릉!

부산에서 세 손가락 안에 드는 나이트클럽.

새빨간 페라리와 중형 세단들이 들어온다.

나이트클럽 앞에 줄을 서 있던 사람들은 눈을 동그랗게 뜨고, 입구를 지키던 기도가 다급히 달려와 허리를 숙인다.

"어서 오십시오!"

스윽! 투벅!

문을 위로 열며 내린 종혁의 모습에 기도는 입을 벌렸다.

고가의 명품으로 몸을 두른 종혁.

'재신이 떴다!'

"룸 있지?"

"죄, 죄송합니더, 행님! 주, 주말이라……."

턱!

바닥에 떨어지는 백만 원 뭉치에 기도는 입을 다물었다.

"그, 그게……."

터억!

한 다발이 더 떨어진다.

"와아, 시발."

"미친 거 아이가?"

지켜보던 사람들이 부러움과 질시의 시선을 보낸다.

"주말이라서 뭐?"

이제 가을도 점점 물러가는 초겨울인데도 기도의 목에 땀이 흐른다. 그는 허리를 더 깊이 숙였다.

"제, 제일 좋은 룸이 남아 있다고 말하려 했습니더! 안으로 들어가시죠!"

터억! 찰그락!

이번엔 돈 다발뿐만 아니라 차키도 떨어진다.

"주차 부탁해. 이건 너 용돈 하고."

"옙!"

"그래, 잘하자."

턱턱.

어깨를 두드린 종혁은 안으로 들어갔고, 뒤의 세단에서 내린 김종두가 다급히 따라붙는다.

"도련님! 이렇게 돈을 함부로 쓰시면 안 됩니다!"

"잔소리 좀 그만해요! 내가 이 나이 먹고 잔소리 들어야 해? 그리고 쟤들도 좀 보내! 내가 아직도 보호받을 나이야?"

검은 양복과 검은 선글라스를 낀 경호원들.

잠시 불러온 특수범죄수사과 형사들이다.

날카로운 기세를 내뿜는 그들의 모습에 기도는 마른침

을 삼켰다.

'도련님? 서울 샌님에 도련님이라꼬?'

기도는 다급히 핸드폰을 들었다.

"행님!"

종혁이 안내된 곳은 쿨 톤의 조명이 비추는 커다란 룸이었다.

젊은이들만 오는 곳인지 제법 세련되게 꾸며진 룸.

"어떠십니꺼. 여기가 저희 나이트에서 가장 좋은 방입니더!"

"뭐 그럭저럭. 라스베가스에서 가던 곳보다는 못하네."

"하하. 그러십니꺼?"

"그보다 여기 물 좋더라? 애들이 다 깔쌈하던데?"

"당연하지예! 여기가 부싼 바닥에서 제일 잘 나가는 곳입니더! 가스나들이 여기 들어올라꼬 막…… 흐흐. 말만 하시이소! 제가 다 데려오겠습니더!"

"그래? 흠. 겨우 이 정도 수준으로 그런단 말이지?"

순간 의미심장한 미소를 지은 종혁이 김종두를 본다.

"김 비서님, 나도 이런 거 하나 세울까? 위치도 이 근처면 나쁘지 않을 것 같은데……."

"도련님!"

"아니, 그렇잖아. 이런 거 하나 있으면 내가 바깥에서 사고를 치겠어? 여기 안에서 치지? 영감탱이는 오히려 좋아할걸?"

"그, 그렇다고 해도 천박한 물장사라뇨! 회장님께선 절대 지원 안 해 주실 겁니다!"

"그럼 내 돈으로 하지 뭐. 이따위 거 3백억이나 들겠어?"

"도련님!"

'미친?'

둘의 대화에 웨이터의 얼굴이 핼쑥해진다.

"뭐야. 너 아직까지 있었어? 야, 술 깔고 괜찮은 애들로 데려와 봐. 아, 참고로 난 술은 이십대 안 먹는다. 그리고 너희는 좀 나가고! 그렇게 쳐다보는데 술맛 나겠어?"

터억!

백만 원 뭉치가 날아와 웨이터의 발치에 떨어진다.

"옙!"

돈을 챙긴 웨이터가 후다닥 나가자 여기저기서 한숨을 터져 나온다. 어깨에 줬던 힘을 푼 형사들과 김종두 과장은 종혁을 묘한 눈으로 바라봤다.

종혁은 정색했다.

"오해입니다. 저 이렇게 안 놀아요."

"그런 것치고는 너무 자연스런……."

"오케이. 대철 삼촌은 내일부터 식사를 따로 하는 걸로."

"종혁아! 사랑한다!"

"어이그."

고개를 저은 김종두는 걱정 어린 시선으로 종혁을 봤다.

"종혁아, 그런데 이 새끼들 정말 낚일까?"

"이래도 안 낚인다고요?"

'그럴 리가.'

괜히 이렇게 꾸미고 웨이터에게 그런 말을 한 게 아니다.

엄청난 돈을 들여 자리 잡았는데, 근처에 더 크고 더 좋은 나이트클럽이 들어서서 손님을 다 뺏어 간다?

그것도 자신들과 태생부터 다른 재벌가의 망나니가?

종혁은 5분 안에 튀어 온다에 오늘 타고 온 페라리를 걸 수 있었다.

* * *

종혁이 있는 룸보다 더 세련되게 꾸며진 사무실.

"뭐? 입구를 넘는 데만 3백을 태웠다고?"

"이야, 또라이 새끼네."

"……알았어. 끊어."

오태식은 낄낄 웃는 동생을 일견하며 전화를 끊었다.

그러곤 몸을 부르르 떨었다.

"크으. 오늘 오까네 좀 벌겠네!"

잘하면 마약 몇 백 그램 파는 것보다 더 벌 듯싶었다.

그때였다. 문이 벌컥 열리며 웨이터가 헐레벌떡 들러 왔다.

"행님!"

"야, 이 씨발 새끼야! 너 들어올 때 노크하라고 했지!"

"지, 지금 그게 문제가 아닙니데이!"

"뭐 이……."

오태식은 웨이터의 입에서 튀어나온 말에 입을 벌렸다. 소파 위에 널브러져 만화책을 읽고 있던 그의 동생 오대식도 허리를 세우며 웨이터를 응시했다.

"사, 삼백억?"

그 누가 고작 유흥을 위해 3백억을 그렇게 쓸 수 있을까. 재계 서열 10위 안쪽의 재벌가나 그럴 수 있을 거다.

"씨발!"

재신이 아니라 재앙신이었다.

"어쩌려고? 가려고?"

"당연히 가야지!"

인천 태생으로 부산에 자리 잡아 여기까지 조직을 키우느라 얼마나 많은 고생을 했던가. 이 나이트클럽은 그렇게 번 돈을 모두 투자해 만든 소중한 업장이었다.

그런데 이게 재벌가 망나니 따위의 변덕에 날아간다?

억울해서 못 산다.

"나도 가."

"너 이 씨발, 이번에도 입조심 안 하면 진짜 죽여 버린다."

"걱정 마. 나도 그 정도 정신머리는 있으니까."

믿음직스럽지 못했지만 시간이 없다. 여기가 더 마음에 들기 전에 망나니를 만나 마음을 돌려 놔야 했다.

"어디야! 안내해!"

둘은 재빨리 종혁이 있는 VVIP룸으로 향했다.

"하하. 좋은 시간 보내고 계십니까."

종혁은 단정하게 정장 단추를 잠그며 들어온 오태식을 보며 눈을 빛냈다. 김종두도 마찬가지다.

'태식이, 대식이?'

부산에 근거지를 둔 마약 조직 중 하나.

형제가 함께 마약 조직을 운영한다는 점이 특이해서 전국 마약반 형사들이라면 무조건 알고 있는 면상들이다.

'여기가 태식이, 대식이 업장이었어?'

정신을 차린 종혁은 피식 웃었다.

"뭐야, 부산 촌놈이 아니네? 그런데……."

종혁은 들고 있던 글라스를 오태식을 향해 던졌다.

빼억!

벽에 부딪쳐 산산조각 나는 글라스.

"난 너희를 부른 기억이 없는 것 같은데? 왜 남자 따위가 내 공간에 들어와서 기분을 잡치지?"

"……아하하. 죄송합니다! 사장님께서 너무 무서운 말을 하셨다기에 이렇게 감히 방해를 하게 됐습니다!"

"무서운 말? 아아, 그거?"

실소를 터트린 종혁은 거만하게 등을 젖혔다.

"귀엽네."

"가, 감사합니다! 그, 그런데 어디서 오신 분인지……."

"야."

"예!"

"내가 너랑 눈 마주치고 이야기하니까 동급으로 보이

냐? 주제 파악 안 할래?"

"죄, 죄송합니다!"

'미친 새끼!'

태식은 혹여 동생이 발광하지 못하도록 뒷목을 잡고 눌렀다.

종혁은 몸을 떠는 그들을 보며 눈빛을 가라앉혔다.

"그럼 읊어 봐."

"예?"

"감히 내가 하려는 걸 막을 정도면 그만한 걸 제시해야 되잖아? 아, 설마 없냐? 그러면 나 짜증 날 것 같은데?"

따악!

종혁이 손가락을 튕기자 형사들이 안으로 들어온다.

그 압박에 오태식은 이를 악물었다.

'또라이 새끼!'

정말 또라이다. 마약 때문에 감정이 널뛰기하는 자신들보다 훨씬 더한 또라이.

'잠깐? 약을 하는 나보다?'

그게 과연 말이 될까?

"저 혹시…… 캔디나 몰리, 고기라고 아십니까?"

그말에 종혁의 눈이 빛났고, 오태식은 자신의 짐작이 맞다며 좋아했다.

"흐흐. 사장님께서 뜻을 거두신다면 저희가 그걸 공짜로……."

"야바는?"

"어이구, 당연히 팔죠! 그런데 야바는 그리 썩 좋지 않은……."

"아, 그래?"

오싹!

신이 나서 말을 하던 태식, 대식 형제는 차갑게 가라앉은 종혁의 눈을 보곤 뭔가 잘못됐다는 걸 깨달았다.

"그렇단 말이지? 햐, 이거 운빨 좋네. 거봐. 내가 내 운 좋다고 했잖아요."

"왜, 왜 그러시는지……."

"김 비서 뭐해요? 그 새끼들 꿇려요."

"예? 무슨?"

콰악! 콰앙!

뒤통수를 잡힌 오태식과 오대식은 그대로 처박혔다.

"끄으! 이런 시발! 뭐야! 너희 짭새냐!"

철컥!

품 안에 손을 집어넣던 오태식은 순간 관자놀이에 닿는 싸늘한 쇳덩이의 감촉과 매캐한 화약 냄새에 그대로 굳어 버렸다.

"야, 그거 집어넣어. 그러다 대가리에 구멍 뚫린다."

'초, 총?'

정신이 번쩍 든 오태식은 정말 엿 됐음을 깨달았다.

'씨발, 씨발!'

그런 그의 머리 위로 싸늘한 음성이 내리꽂혔다.

"내가 예뻐하던 똘마니 중 하나가 야바를 처먹다가 병

신이 됐어. 그런데 알아보니 그게 부산을 통해서 유통 됐다네? 설마 너희니?"

'……어떤 미친놈이 재벌가를!'

이 바닥에도 지켜야 할 룰이 있다.

절대 재벌가와는 어울리지 마라.

언제 조직이 날아갈지 모르기 때문이다. 아니, 조직만 날아가면 다행이다. 세상에서 사라질 수도 있다.

순간 눈앞이 아득해진 오태식은 다급히 변명했다.

"그, 그럴 리가요! 저흰 부산에만…… 어?"

순간 누군가 떠오른 오태식은 조심스럽게 입을 열며 고개를 들었다가 후회했다.

"혹시 그분이 축구선수…… 흡."

아예 감정이 사라져 버린 종혁의 얼굴.

"그 새끼 지금 어디 있냐? 모르면 찾아. 안 그러면 니들이 대신 죽는다."

종혁의 사형 선고에 둘은 마른침을 삼켰다.

정말 통해 버린 작전에 김종두와 형사들은 어이없다는 듯 웃어 버렸다.

* * *

딱! 따악!

제법 거리가 떨어져 있음에도 골프공 치는 소리가 들리는 큰 규모의 골프 연습장.

종혁이 어이없다는 듯 웃는다.

'태식이, 대식이는 나이트클럽에 김판수는 골프장? 아주 지랄을 한다.'

그게 어이없어서 종혁은 다시 한번 물어봤다.

"정말 저기란 말이지?"

대포 통장들의 인출 내역 중 70퍼센트가 부산에서 이루어지는 것을 통해 대충 예상은 했지만, 이걸로 확실해졌다.

브로커 김판수, 놈은 역시나 부산에 아지트를 두고 있었던 것이다.

종혁은 김판수의 아지트로 추정되는 골프 연습장을 일갈하곤 알았다는 듯이 손을 저었다.

"그, 그럼 저희는 이만 가도……."

"닥치고 구겨져 있어. 저기 있는 새끼가 아니면 니들 차례니까."

"옙!"

오태식과 오대식은 강제로 타고 와야 했던 세단 안으로 다시 들어가야 했고, 남겨진 형사들은 그걸 보며 어이없다는 듯 웃었다.

검거를 하려고 들면 제 몸뚱이가 박살이 난다고 해도 달려들며 흉기를 휘두르는 약쟁이들. 그래서 마약 조직을 소탕할 때 가장 많이 다친다.

그런데 오늘은 그런 기미가 전혀 보이지 않는다.

그래서 화가 날 정도였다.

"와, 저 새끼들 여태까지 그 지랄염병을 한 게 우리가 죽일 수 없다는 걸 알았기 때문이야?"

"씨발. 진짜 욕 나오네."

"다음부턴 그냥 확 쏴 버릴까?"

"자, 자. 다들 조용히 하고 들어갈 준비해. 태식이, 대식이 여기 보고 있다."

혀를 찬 형사들은 자세를 바로 했고, 김종두는 선두 세단의 뒷문을 열었다.

"타시죠, 도련님."

"……혹시 제 역할 안 시켰다고 그러시는 거예요? 그건 과장님이 연기를 너무……."

"어흠. 시간이 없습니다, 도련님."

"풋!"

"푸흡!"

"에라이."

고개를 저은 종혁은 차에 올라탔고, 뒷문을 닫은 김종두 과장도 냉큼 보조석에 올라탔다.

직후 그들을 태운 차들이 출발했다.

그렇게 주차장에 진입하던 그들은 잠시 브레이크를 밟아야 했다. 차 한 대가 빠져나오고 있었기 때문이다.

그런데…….

"과장님!"

운전대를 잡은 형사가 다급히 외친다.

"나도 봤어! 백업! 지금 나가는 차 잡아! 고현수, 이경도다!"

혹시 모를 상황을 대비해 백업으로 불러온 서울팀들.

-확인했습니다. 미행하다가 작전 시작하면 따겠습니다. 어? 대포폰 사러 온다는 그놈도 있습니다!

서울팀이 대포폰 업체를 통해 확인한 조직원.

"오케이! 얼른 잡아!"

김종두는 탄성을 터트렸다.

"크. 저놈들 얼굴 딴다고 그 고생한 보람이 있구만?"

덕분에 놓치지 말아야 할 놈들을 놓치지 않을 수 있게 됐다.

김종두와 운전대를 잡은 형사의 얼굴에 웃음꽃이 폈고, 종혁도 마음을 놓을 수 있었다.

이제 남은 건 김판수를 검거하는 것뿐이다.

스르륵!

"도착했습니다, 도련님."

참 애 같다며 고개를 저은 종혁은 김종두가 열어 주는 문을 통해 내렸고, 형사들은 오태식과 오대식을 앞세우며 다가왔다.

"뭣들 해?"

김종두는 앞으로 손짓을 했고, 형사들은 우르르 골프장 안으로 달려 들어갔다.

"뭐야!"

"씨발! 막아!"

골프장이 시끄러워졌다.

"천천히 가시죠, 도련님."

'아니, 즐기는 건가?'

종혁은 웃는 낯의 김종두를 보며 눈을 가늘게 떴다.

* * *

"박상영과 의사 양반이 안 보인다고?"

"경도 말에 따르면 그 코치 놈도 안 보인답니다."

조직의 자금 관리책인 고현수의 말에 후덕한 인상의 오십대 중년인 김판수가 미간을 좁혔다.

"구단에선 뭐라던데? 알아봤어?"

"박상영은 허벅지 근육이 나가기 직전이라서 시즌 아웃이 됐고, 코치는 2군으로 격하돼서 그만뒀답니다."

"아, 그래?"

고개를 끄덕인 김판수는 다시 장부를 살폈다.

오늘도 여기저기서 몰려온 전화에 정신이 없다.

"회장님, 이거 아무래도……."

한숨을 쉰 김판수는 고개를 들었다.

"뭐가 그렇게 걱정이야? 짭새가 냄새 맡았을까 봐 그래? 그럼 다른 두 놈은 왜 안 잡혀 갔는데?"

혹여 잡혔다고 해도 상관없다. 어차피 경찰은 자신들을 쫓기 힘들 테니까.

'그렇게 꼬아 놓은 거래 방식을 더듬어 온다고?'

혹여 정말 운이 좋아 턱밑까지 쫓아온다고 해도 상관없

다. 어차피 며칠 후면 부산 바닥도 뜬 후일 테니까.

"현수야, 아직도 그런 놈들 모르냐? 의사 놈은 어디 하우스에서 돈 빨리고 있을 테고, 박상영은 정신 나가서 술 푸고 있겠지. 박상영 찾으면 다른 걸로 꼬시기나 해."

"……예."

"그래, 나가 봐. 광주에 다녀오려면 얼른 출발해야지."

광주에서 병역 면제를 받게 해 달란 의뢰가 들어왔다.

자금 관리책인 고현수가 가서 돈을 관리해야 된다.

밑에 조직원들에게 맡겨도 되지만, 놈들을 어떻게 믿겠는가?

솔직히 고현수도 자신과 오래되어서 믿는 척할 뿐이다. 김판수는 고현수가 통장을 들고 나르는 순간 언제든 통장을 정지하고 쫓을 준비를 하고 있었다.

"예. 그럼 경도랑 병수도 함께 데려가겠습니다. 대포폰 바꿀 기간 됐습니다."

"벌써 그렇게 됐나? 알았어. 다녀와. 다녀오면 한잔 꺾자."

고개를 꾸벅 숙인 고현수가 밖으로 나가자 김판수는 닫힌 문을 보며 담배를 물었다.

"저놈도 슬슬 토를 달기 시작하는군."

그렇게 운동선수 병역을 해결하면서도 경찰에 들키지 않았던 이유가 뭐던가. 저렇게 스스로 생각을 하려는 놈을 다 제꼈기 때문이다.

"아쉽구만."

담배 연기가 공허하게 흩어졌다.

그는 다시 거래 장부에 시선을 돌렸다.

"이번 주가 포항이고, 거래량이……."

이번에도 대박이었다.

"역시 공놀이 하는 놈들이 통이 크다니까. 백날 일반인들에게 팔아 봐."

일이 어긋나면 경찰에게 쫓길 빌미만 줄 뿐이다.

하지만 축구선수는 다르다.

제 놈들 성적이나 파벌 따위를 만들기 위해 알아서 입단속을 한다. 이런 호구들이 따로 없었다.

"축구도 이제 물이 다 찬 것 같으니 야구나 농구로 넘어가 볼까?"

국내에서 제일가는 스포츠인 야구와 농구.

그중 농구가 한물가는 것 같으니 농구선수를 노려도 될 듯했다.

"그만큼 간절할 테니까. 크흐흐."

그렇게 김판수가 웃음을 흘리는 순간이었다.

-크악! 막아!

갑자기 소란이 일어난다.

"뭐야!"

벌컥!

"회장님! 피하셔야 합니다!"

"아악!"

"막아! 어떻게든 막아-!"

벌떡 일어났던 김판수는 하얗게 질렸다. 소란이 일어난 지 얼마나 됐다고 벌써 여기까지 뚫렸다.

"짭새야?!"

"태식이, 대식이입니다!"

"뭐?!"

"얼른 피하셔야 합……."

빠아아악!

크게 외치던 조직원이 걷어차여 날아간다.

"비켜, 이 새끼야."

김판수는 안으로 들어오는 검은 정장에 선글라스를 낀 형사들을 보며 흠칫 몸을 굳혔다.

'이 새끼들이 태식이네 애들이라고?'

그럴 리가 없다.

양아치는 양아치 특유의 냄새가 나는 법이다. 하지만 이놈들에게선 그런 냄새가 전혀 나지 않았다.

"니들 뭐야!

"시끄럽고. 일단 좀 맞자."

"이런 씨!"

김판수는 날아오는 발을 피하지 못한 채 그대로 자빠져야 했다. 그리고 그 위로 형사들의 매질이 쏟아졌다.

잠시 후 양팔이 사로잡혀 무릎이 꿇려진 김판수는 안으로 들어오는 오태식과 오대식을 보고 이를 갈았다.

"태식이! 대식이! 너희 지금 나랑 한번 해보자는 거야?!"

“푸흐흐. 56년 개띠 김판수 사장 개새끼야.”

“개새끼야.”

“이분이 누군지 모르지? 넌 이제 좆됐어.”

‘이분?’

뚜벅뚜벅!

김판수는 종혁이 들어오자 고개를 숙이는 형사들을 보며 엇 됐음을 심작했다.

담배를 문 채 안으로 들어온 종혁은 멍하니 쳐다보는 그를 일견하며 소파에 앉았다.

‘이렇게 실제로 보는 건 처음이네, 김판수.’

종혁은 나른히 웃었다.

“내가 예뻐하던 놈 중 하나가 야바 때문에 병신이 됐어. 이 새끼들은 그게 너 때문일 거라고 하던데, 맞냐? 아, 참고로 축구선수야.”

‘이런 씨불!’

누군지 모르겠지만 두 가지는 알 수 있다.

눈앞의 종혁은 이런 인간 병기들을 끌고 다니는 높은 곳의 사람이고, 자신은 오늘 여기서 죽을 수도 있다는 것.

“오, 오해십니다! 저 말고도 축구선수와 연결된 브로커들은 몇 명 더 있습니다!”

“그래? 그럼 장부 가져와 봐. 거기에 내 똘마니 이름 없으면 깽값 물어 준다.”

“그, 그게…….”

"그래. 난 너라고 생각하련다. 씨발, 똘마니 하나 때문에 이게 뭔 지랄인지. 김 비서, 난 갈 테니까 뒷정리 부탁해요."

"예, 도련님!"

철렁!

차갑게 물드는 김종두의 눈에 김판수의 심장이 발끝까지 떨어져 내렸다.

"자, 잠시만! 잠시만! 가, 가져오겠습니다! 그러니 잠시만……!"

종혁은 다시 엉덩이를 붙이며 손을 저었고, 풀려난 김판수는 엉금엉금 책상으로 걸어가 금고를 열었다.

평소였으면 다른 사람이 있는 자리에서 금고를 여는 일은 절대 없었을 테지만, 목숨이 걸린 이상 어쩔 수 없었다.

'부디! 제발 부디 없기를!'

없어야 한다. 그래야 산다.

그는 그렇게 간절히 바라며 김종두에게 장부들을 넘겼다.

촤라락!

빠르게 장부를 넘기던 김종두가 피식 웃었다.

"……맞네."

종혁이 몸을 일으켰다.

"맞아요?"

"어, 장부 맞아. 이야, 여기 다 있네. 약 먹은 놈들하고, 돈 받아 처먹은 놈들도 모두."

"응?"

뭔가 이상하다 느낀 김판수는 눈을 끔뻑였고, 그런 그의 손목에 종혁이 수갑이 채웠다.

철커덕!

"김판수 씨."

김판수뿐만이 아니나다.

철컥! 철컥!

"오태식 씨."

"오대식 씨."

"당신들은 마약류 관리에 관한 법률을 위반하였음으로 긴급 체포합니다. 당신들은……."

그들은 그제야 진실을 깨달은 범죄자들은 입을 떡 벌렸다.

"씨발! 짭새?! 이 개새끼들이 나를 속여?!"

"이런 개! 놔! 씨발, 놔아!"

김판수, 오태식, 오대식 모두 발버둥을 쳤지만, 그건 헛된 일이었다. 그렇게 K-리그 마약 게이트가 종장에 접어들었다.

이제 정말 남은 건 장부에 있는 선수들과 여타 인물들을 체포하는 것뿐이었다.

* * *

스포츠 사상 최악의 마약 게이트!

마약으로 따낸 승리!
병역 면제가 제일 쉬웠어요.
축구뿐만 아니라 모든 스포츠 전면 수사를 해야 할 것!

"이야!"

"멋지다, 특수!"

"이건 뭐 거의 한 달에 한 번씩 터트리는데? 비결이 뭐냐!"

본청 복도를 걷는 종혁에게 찬사가 쏟아진다.

"으흐흐흐."

멋쩍으면서도 흡족하게 웃으며 그들을 지나친 종혁은 사무실의 문을 활짝 열었다.

"저 왔습……."

텅!

"너 맞잖아, 새끼야!"

"와아. 했는데 안 했다고 하네? 그럼 네 아가리에 약을 집어넣은 건 네 손이 아니라 네 똥꾸멍이냐, 새꺄?!"

'어휴. 많이 바쁘네.'

장부에 있는 모든 사람들이 소환됐다.

특수범죄수사과가 난리법석일 수밖에 없었다.

슬그머니 탕비실부터 들어가 커피를 내린 종혁은 모닝커피의 향긋함에 잠시 취했다.

"으음. 좋다."

"야! 최종혁! 막내란 새끼가 빠져 가지고!"

"에라이."

혀를 찬 종혁은 자신의 자리에 앉았다.

그 앞엔 박상영이 앉아 있었다.

다 망했다는 생각에 반성의 기미가 전혀 보이지 않는 박상영. 이전까지야 형사들의 기에 짓눌렸다지만, 얼마 전 변호사를 만난 지금은 아니었다.

"너 지금 실수하는 거야. 우리 아빠가 누군지 알아? 어?! 청장 나오라고 해!"

"……푸흐흐."

"이 새끼가 쪼개?! 야, 이 새끼야!"

종혁은 핸드폰을 꺼내 던져 줬다.

"그 우리 아빠한테 전화해 봐."

"흥! 내가 하라면 못할 줄 알아?!"

박상영은 얼른 제 아버지의 번호를 눌렀다.

"아빠! 지금 이 앞에 있는…… 응? 아, 아빠?"

종혁은 떨리는 눈으로 이쪽을 보는 박상영에게 핸드폰을 달라며 손가락을 까딱였다.

"여러 군데서 조사 잘 받으신다지?"

"……."

국세청부터 울산 경찰서까지.

한 번 털기 시작하니까 먼지가 한가득 나왔다.

피식 웃은 종혁은 그제야 컴퓨터를 켜 박상영의 조서 파일을 찾았다.

"어이쿠. 내가 실수해서 조서 파일을 지워 버렸네. 아무래도 새로 시작해야 될 듯한데 괜찮지? 다 기억하고 있으니까 틀리면 저기 진실의 방으로 가는 거야?”

“…….”

“그럼 시작합시다. 이름이 뭐니, 개새끼야.”

“바, 박상영이요.”

“그래. 바악, 사앙…….”

콰앙!

“최종혁 어디 있어!”

종혁뿐만 아니라 형사들의 시선이 사무실 입구를 향했다가 에라이 한숨을 내쉬었다.

“오! 출근했네? 으하하하핫! 종혁아-!”

“야! 마약! 아침 댓바람부터 뭔 짓이야!”

“뭔 짓은요! 우리 종혁이랑 형님, 동생들에게 감사 인사 하러 왔죠!”

그 말에 특수범죄수사과 형사들이 피식 웃는다.

종혁의 권유에 부산의 오태식과 오대식을 본청 마약대에 넘긴 특수범죄수사대.

놀랍게도 이놈들의 장부에서 지금 본청 마약대에서 비밀수사 중인 연예인 마약 사건의 단서가 있었단다.

그런데 이것만큼 기쁜 일은 부산경찰청, 정확히는 마약대 대장의 라인인 최기룡의 반대 파벌 박종명의 콧대를 눌렀다는 거다.

부산청 코앞에 이런 놈들이 있었는데 먼저 검거하지 못했다. 본청이 그 난리를 쳤는데도 알아차리지 못했다.

지금 부산청의 체면은 빌딩에서 떨어트린 메주처럼 뭉개지고 박살 난 상황이었다.

"크! 정말 사랑한다, 종혁아!"

마약대 대장은 종혁을 벌떡 일으켜 와락 끌어안았다.

"하하하. 상부상조하는 거죠."

"캬하! 고렇쥐! 자, 다들 들었지? 한 식구라면 말이야 어? 이렇게 상부상조해야지 말이야, 어?! 그래야 한 식구 경찰이지!"

빠악!

"근데 이 새끼는 뭐야?"

"어이구. 말은 잘하세요. 야, 이 경우 없는 놈아. 그런다는 놈이 빈손으로 오냐?"

"어허! 제가 그럴 리 있겠습니까? 애들아!"

박상영이 뒤통수를 얻어맞았지만 아무도 신경 쓰지 않는다.

좌라락!

그리고 열린 문을 통해 마약대 형사들이 양손 가득 뭔가를 싸 들고 들어온다.

"오늘부터 한 달간 특수 간식은 우리 마약이 쏜다!"

"우오오오오오!"

"마약 멋있다!"

김종두도 피식 웃었다.

"한 달 후에 터트린다는 약속이나 지켜, 인마."

지금 한창 전 국민의 관심을 받는 중이다.

이런 상황에서 마약대가 연예인 마약을 흘려 버리면 모든 관심은 그쪽으로 쏠리게 될 거다.

"흐흐. 제가 그런 개새끼는 아니죠. 아무튼 우리 종혁이! 그리고 특수! 오늘 소고기 먹어야죠! 이건 제가 쏩니다!"

"오오오?"

"딴 주머니를 얼마나 찬 거야? 열나 부럽네."

가볍게 무시한 마약대 대장은 은근한 눈으로 종혁을 봤다.

"우리 종혁이도 올 거지? 이 형이 종혁이 너 때문에 소고깃집 가는 거야."

그 말에 종혁은 어색하게 웃었다.

"아, 왜!"

"죄송합니다. 약속이 있어서요."

"끙. 웬만한 약속이면……."

"웬만한 약속이 아니라서요."

좀 많이 웬만하지 않은 약속이었다.

* * *

-고맙다, 종혁아. 내가 진짜…….

말을 하는 무로이 쿄헤이의 목소리가 울먹인다.

빼도 박도 못하는 확실한 마약 밀수 증거.

경시청이 드디어 일본을 좀먹는 암세포들 중 일부를 도

려내기 위해 움직였다.

이는 확실히 무로이 쿄헤이의 실적이었고, 이는 그가 앞으로 창설하려는 프로파일링수사과, 아니 CSI 과학수사대의 큰 힘이 되어 주었다.

CSI 과학수사대는 경시청 내에서도 노터치인 수사과가 될 예정이었다.

미래의 최연소 형사 제1부장 무로이 쿄헤이도 자신만의 길을 개척해 가고 있었다.

"하하. 마약대랑 공조 잘해 봐요, 쿄 형. 파이팅입니다."

-그래! 조만간 꼭 보자!

웃는 낯으로 전화를 끊은 종혁은 한정식집을 바라봤다.

서울 변두리, 아는 사람만 아는 최고급 한정식집.

옷매무새를 가다듬은 종혁은 가게 안으로 향했다.

그리고 직원이 열어 주는 방 안으로 들어가, 먼저 와 있는 장년인에게 고개를 숙였다.

"늦어서 죄송합니다. 현몽준 당대표님."

그랬다. 오늘 약속 대상은 현몽준 당대표였다.

허허 웃음을 터트린 현몽준이 손을 젓는다.

"아닙니다. 저도 방금 막 왔습니다. 앉으시죠."

그의 맞은편에 앉은 종혁은 챙겨 온 소나무 분재를 내밀었다.

"다시 한번 당대표가 되실 걸 축하드립니다. 많이 늦었습니다."

"호오. 이런 것도 하실 줄 아시는 분이셨나요?"

"협조를 해 주시는 분께는 최대한 은혜를 갚으려고 합니다."

"으하하하핫……!"

한 방 맞은 표정을 짓던 현몽준이 무릎을 치며 웃었고, 종혁도 피식 웃었다.

'이런 청년이었던가.'

그가 조사한 종혁은 치밀하면서도 사나운 맹수다.

몸을 낮춰야 할 땐 쥐 죽은 듯 웅크리고 있다가, 한 번 사냥을 시작하면 가진 바 모든 것을 이용하여 먹잇감을 찢어발기는 맹수.

고고하면서도 존재 자체가 재앙인 호랑이다.

그런 것에 비추어 보면 정말 의외의 면모다.

하지만 마음에 들 수밖에 없는 모습이었다. 이 선물에 사심이 하나도 들어 있지 않기에 더.

'좋군.'

현몽준은 앉은 자세 그대로 고개를 숙였다.

"저도 감사합니다. 최 경위님 덕분에 망신을 당하지 않을 수 있었습니다."

울산 대현타이거.

대현중공업을 비롯해 그가 지닌 거의 모든 계열사가 스폰을 하는 축구클럽이다.

또한 그는 축구협회 명예회장이기도 하다.

그런 그의 손길이 닿은 곳에서 약쟁이가 나왔다?

아마 야당이 사냥개를 풀었을 거다.

대선 중 시기적절할 때 후보에서 물러나며 박노형 대통령에게 힘을 실어 줬기에 야당에겐 현몽준도 눈엣가시일 수밖에 없었다.

"아닙니다. 당연히 해야 할 일을 한 겁니다. 오히려 당 대표님의 결단을 더 칭찬해 드리고 싶습니다."

현몽준은 마약과 병역 비리를 저지른 사람들 전원을 퇴출시켜 버렸다. 그러며 축구협회를 움직여 이들의 선수 및 코치 자격을 박탈하게끔 만들었다.

이에 언론들이 현몽준을 칭찬하고 있었다.

"후후. 아닙니다. 제가 최 경위님 덕분에 얼마나 많은 걸 얻었는지 아시면 그런 말은 못하실 겁니다."

이번 사건에서 전북 대현FC, 지금은 사이가 나빠진 큰형 현몽구에게도 빚을 지게 만들었다.

현몽구도 선수 및 코치 전원을 퇴출시켰고, 이보다 한 발 더 나아가 축구협회를 성토 중이었다.

이에 언론은 역시 큰 사람들은 다르다며 칭송을 하는 중이었다.

명예.

나이가 들면서 더 찾게 된 명예를 종혁이 준 거다.

'이 빚을 대체 어떻게 갚아야 할까.'

대선 때부터 매번 받기만 하는 것 같아서 어이가 없을 지경이었다.

'이 현몽준이가 줄 게 없어서 더…….'

눈앞의 사내는 자신의 반도 못 산 스물네 살 젊은 청년인데도 줄 게 없다. 그게 무척이나 어이가 없었다.

"생각이 깊으시군요."

"음?"

현몽준은 화들짝 놀랐다. 어느새 음식이 차려져 있었기 때문이다.

종혁은 싱긋 웃으며 옆에 놓인 술 주전자를 들었다.

"한 잔 올리겠습니다."

"이런, 내가 초대를 해 놓고 이 무슨 결례를……. 이리 주시죠. 제가 먼저 따라 드리겠습니다."

"누가 먼저 따르면 어떻습니까."

"허어……."

나지막하면서도 고집이 가득한 음성과 졸졸졸 술잔을 채워 가는 맑은 호박빛 술처럼 따뜻한 온기가 경직된 어깨를 부드럽게 어루만진다.

한순간 종혁이 이십대 청년이 아니라 비슷한 또래처럼 느껴졌다.

'……정말 대단한 친구군.'

술 주전자를 넘겨받은 현몽준도 종혁의 잔에 술을 따랐다.

챙!

기분 좋은 고요함 속에 청아한 소리가 울린다.

'오?'

마치 전국 팔도 맑은 청주의 장점만 모아 정종으로 우려낸 듯한 다채로운 맛이 목젖 뒤에서 역류하는 폭포처럼 쏟아져 나온다.

"……좋군요."

이 말 외에는 이 맛을 표현하기 어려웠다.

종혁은 자신의 부족한 어휘력에 자책을 할 수밖에 없었다.

"흐허허. 저도 여기 술이 만큼 맛있는 술을 마신 적이 없습니다. 그리고 여기 전복죽도 일품이죠."

"그렇습니까?"

곧바로 전복죽을 맛본 종혁은 고개를 연신 끄덕였고, 현몽준은 그 자신도 모르게 웃음을 흘렸다.

"푸흐흐."

"음?"

"아닙니다."

아닌 게 아니다.

'내 앞에서 이렇게 편히 구는 사람이 대체 얼마 만이지?'

없었다. 최소한 그가 대현중공업의 회장이 된 이후부터 종혁처럼 편하게 대하는 사람은 단 한 명도 없었다.

마치 그 옛날, 까마득히 먼 옛날 지금은 돌아가신 아버지 현주영과 어머니, 그리고 형제들과 식탁에 앉아 서로 장난을 치며 식사를 하던 그때로 돌아간 것 같다.

"제아무리 밉고 싫어도 밥은 꼭 함께해야 하는 거이야. 그래서 식구라 부르는 거 아니갔어? 아, 거 아새끼들! 아바이가 지금 말하고 있잖네! 안 들리네?!"

이북이 고향이신 아버지 현주영.

괜스레 그때가 떠올라 실웃음이 나온다.

"고맙습니다."

"……같이 알면 안 되는 겁니까?"

"으하하하하핫! 이건 저만 아는 걸로 하죠. 다른 것도 드셔 보십시오. 젊은 분 젓가락이 많이 느립니다."

"흠. 그렇게 도발하시면 안 될 텐데…… 지갑 속 카드의 한도는 넉넉하시죠?"

"으하하하하핫!"

장난이었다는 듯 웃은 종혁은 젓가락을 들었고, 현몽준은 이 반찬, 저 반찬 가리키며 웃음을 흘렸다.

꼭 친구에게 맛집을 소개하는 사람처럼 심장을 두근대면서 말이다. 그렇게 웃음과 온기가 가득한 식사가 시작됐다.

달그락.

마무리 차까지 완벽한 식사였다.

현몽준은 흡족해하는 종혁을 보며 미소를 지었다.

"곧 소년법을 개정할 예정입니다."

"음?"

"이후엔 음주 운전 처벌에 관한 형량을 높일 예정이고, 음주 및 정신병 등의 심신미약에 관해 다룰 예정입니다."

"대표님?"

"납치, 살인, 마약 등도 모두 다룰 겁니다."

종혁은 미간을 좁히며 현몽준을 봤다.

그는 종혁을 향해 다시 고개를 숙였다.

"이 나라의 치안을 부탁드리겠습니다. 그 외에는 제게, 그리고 저희 정치인에게 맡겨 주십시오."

'진심인가?'

아니, 진심이다. 그게 아니라면 일개 형사에게 이런 말을 할 이유가 없다.

생각을 정리한 종혁은 마주 고개를 숙였다.

"소 잃고 외양간을 고친다고 해도 상관없습니다. 하지만 부디 아주 잊지만 말아 주십시오. 부탁드리겠습니다."

"……예, 꼭 그러겠습니다. 믿어 주십시오."

그들의 식사는 마무리까지 훈훈했다.

* * *

부우웅.

달리는 차 안. 대리기사에게 양해를 구한 종혁은 차창을 열고 담배를 물었다.

치이익!

"푸후우."

빠르게 달리는 차 뒤로 빠르게 사라지는 연기.

그걸 가만히 바라보던 종혁은 돌연 실소를 터트렸다.

"이거 정치적 후원자가 생긴 건가?"

나쁘지 않다. 아니, 오늘 파악한 현몽준 정도의 정치인이라면 오히려 어떻게든 선을 만들었어야 할 정도다.

회귀 전 그의 정치 인생에서 가장 치명적이었던 실수를 하지 않음으로써 언제든 대선에 도전할 자격을 갖춘 인물.

'현몽준이라…… 한번 밀어 봐?'

종혁의 생각이 깊어져 갔다.

한편 종혁이 떠나가고 한정식집 주차장에 남겨진 현몽준은 담배를 물었다. 그러다 피식 웃었다.

"정말 대단한 친구란 말이지."

종혁은 자신이 기대했던 모습을 그대로 보여 주었다.

꾸며진 모습은 결코 아니었다. 그 정도도 파악하지 못할 정도라면 대현중공업의 회장 자리에는 결코 오르지 못했을 터였다.

종혁의 말과 표정에서는 어떠한 거짓도, 가식도 느낄 수 없었다.

"앞으로가 기대되는군."

현몽준은 종혁의 모습을 통해 자신이 정치인으로서 해야 될 일이 뭔지 자연스럽게 알 수 있었다.

"대체 젊은 친구가 어떻게 그런 정력을 갖춘 걸까. 흠…… 그분이라면 아시려나."

순간 충동이 든 현몽준은 품속 수첩을 꺼내 아주 오래전에 적어 두고 잊었던 번호로 전화를 걸었다.

-예. 권회수올시다.

권회수. 한때 아버지 현주영도 고개 숙여 돈을 빌려야 했던 명동 사채업자들의 정점이자 밤의 황제.

그리고 종혁의 가치를 학창 시절부터 알아보고 돌봐 온 인물이었다.

"아저씨, 오랜만입니다. 저 몽준입니다. 잘 계셨습니까?"

―엥? 당대표님이 어쩐 일이신가? 혹시 돈 빌리시겠단 말은 하지 마시게. 손 뗐으니.

"하하하. 요새 선행을 하신다는 말을 많이 들었습니다. 저도 이미지를 위해 동참을 하고 싶은데 시간 괜찮으십니까?"

―오호. 내 그런 거라면 아껴 둔 술이라도 꺼내야지. 언제 오시겠는가?

그렇게 약속을 잡은 현몽준은 다른 누군가에게 또 전화를 걸었다.

"예, 경찰청장입니까? 나 현몽준입니다."

현몽준은 그제야 차를 향해 발을 뗐고, 그의 비서관이 허리를 숙여 차문을 열어 주었다.

그렇게 그마저도 떠나면서 한정식집의 불이 꺼졌다.

* * *

"아주바이!"

"형이라고 불러라, 짜샤."

어느덧 순철과 순희가 국정원에 들어간 지도 3주라는

시간이 지났다. 겨울이 코앞으로 다가왔고, 사람들은 슬슬 코트를 벗어나 점퍼를 꺼내 들고 있었다.

종혁은 전보다 살이 더 오른 순철과 순희를 보며 피식 웃었다.

"국정원 밥이 정말 입에 맞았나 보다?"

"내래 남조선 인민들이 이리 부자일 줄은 몰랐습네다!"

"나도 마찬가지야요!"

매일같이 하얀 쌀밥에 고깃국, 소시지와 고기반찬이 나왔다.

국정원 요원들이 맛없다고 먹지 않는 코다리조림조차도 둘에게는 황홀 그 자체였다. 그 짭조름하면서도 달콤한 맛. 밥 두 공기가 뚝딱이었다.

"엥? 순철이 넌 해커인데도 몰랐다고?"

"남조선 해킹은 함부로 못합네다. 드라마만 봤시요!"

"나도 드라마라서 다 후라이 까는 줄, 아니 거짓말하는 줄 알았시요!"

"아, 그래. 춥지? 일단 이것들 좀 입어. 대충 골라 오긴 했는데, 시간 내서 제대로 맞추자."

"아, 아니……."

"입어, 인마. 감기 걸린다."

점퍼가 든 종이백을 순철과 순희에게 안긴 종혁은 둘을 따라 나온 국정원 요원을 봤다.

"이야, 트레이닝 끝났다고 이젠 코치에게 인사도 안 하네요?"

종혁과 인연이 깊은 국정원 팀장이다.

"죽을래?"

"흐흐. 잘 계셨죠?"

"나야 잘 있지. 너는 아주 날아다니더라?"

"흐흐. 어쩌겠습니까. 사건이 저를 부르는데요."

"그래, 잘하고 있더라. 하. 나도 너처럼 돈 걱정 없이 수사하면 얼마나 좋을까."

"원장님께 건의하세요."

"그랬다간 잘려. 아무튼 얼굴 봤으니 됐다. 조심히 가. 난 간다."

"다음에 한잔해요!"

손을 흔든 팀장은 국정원 안으로 사라졌고, 종혁은 점퍼가 너무 따뜻하고 부드러워 굳어 버린 둘을 두드렸다.

"가자. 집으로."

종혁은 둘을 데리고 자신과 어머니의 보금자리인 정혁 빌딩으로 향했다.

"자, 여기가 이제부터 너희가 살집이야."

축구를 해도 될 듯 넓은 거실을 지나 방문을 여니 족히 스무 평은 될 법한 커다란 방이 나온다.

"아니, 정확히는 네가 쓸 방이지. 순희는 옆방."

옆문을 활짝 여니 온통 분홍빛과 레이스로 꾸며진 공주방이 두 남매를 반긴다.

"와아! 와! 오라바니! 내 방이랍네다! 히익! 바, 방 안에 뒤, 뒷간도 있습네다!"

정혁빌딩의 꼭대기 층 절반을 쓰던 종혁과 고정숙.

종혁은 나머지 절반 중 절반을 터서 이 둘의 방을 만들었다.

“아주바이! 이, 이건 너무…….”

종혁은 금방이라도 눈물을 흘릴 듯 울상을 짓는 순철의 머리를 헤집었다.

“내가 말했잖아. 너흰 내가 품기로 했다고.”

그러기로 했는데 어디 집 하나만 달랑 던져 줄까.

성인인 순철이라면 어찌 버틸 수 있을 테지만, 9살인 순희는 아직 어른의 손길과 케어가 필요할 나이다.

“아, 아니…….”

띠디디디디! 띠리릭!

현관문을 열고 들어오는 고정숙에 순철과 순희가 굳어버린다.

깡마른 둘을 보는 고정숙의 눈에 작은 슬픔이 스친다.

“애들이니?”

“아, 안녕하십네까!”

“처음 뵙겠습네다! 리순희, 9살입네다!”

성큼성큼 다가온 고정숙이 따뜻하게 웃는다.

“그래. 아줌마는 여기 사고부터 냅다 치고 보는 멍청한 곰탱이의 엄마인 고정숙이라고 해. 나이는 44살이고.”

“얼씨구? 아줌마가 웬일이래? 그렇게 따뜻하게 말을 다 하고?”

콱!

고정숙의 손끝이 종혁의 옆구리에 박힌다.

"억? 자, 잠깐. 뼈, 방금 뼈 스쳤어."

"닥치렴."

"……예."

고정숙은 다시 순철과 순희를 봤다.

"아마 당분간은 서로 어색할 거야."

여태껏 단 한 번도 서로를 보지 못했는데 어찌 어색하지 않을까. 고정숙 본인의 틱틱거리는 성격도 문제다.

"아직은 서로를 알지 못하기에 오해도 많이 쌓일 거야. 하지만 이 아줌마가 너흴 싫어하는 건 아니니까 오해는 말아 줬으면 해."

"아주마이……."

"여기까지 오느라 힘들었지? 일단 푹 쉬렴. 이야기를 나누는 건 저녁에 해도 되니까. 아들은 어떡할래? 복귀해야 돼?"

"오늘 휴가 냈어요. 그러니 저녁엔 오랜만에 여사님표 돼지갈비나 씹읍시다."

"……그런 건 아침에 좀 말하면 안 될까? 넌 꼭 일을 두 번 하게 만들더라?"

"사랑합니다."

"난 사랑 안 해. 알았어. 쉬어."

"수고해요."

손을 휘적인 고정숙은 다시 집을 빠져나갔고, 종혁은 순철과 순희를 봤다.

"저 아줌마가 좀 틱틱거리고, 뚱한 표정을 지을 때가 많을 거야. 하지만 방금 봤듯이 좋은 사람이니까 지레 겁먹지 마."

"저, 정말 저희가 여기서 살아도 되는 겁네까? 정말로?"

"나중에 방이 좁다고나 하지 마, 인마. 그땐 확 독립시켜 버릴 테니까. 조사받느라 힘들었을 텐데 쉬어."

종혁은 옷을 갈아입기 위해 방으로 걸어갔고, 순철은 그 모습을 떨리는 눈으로 응시했다.

그러나 소매를 툭툭 잡아당기는 손길에 고개를 내렸다.

"오빠, 일단 씻읍시다. 그게 예의입네다."

국정원에서 배워 교정한 단어 오빠.

"알았다. 그러자. 그런데 너 그 큰 곳에서 혼자 씻을 수 있갔네? 같이 씼을까?"

"오빠, 순희도 여자예요. 일없습네다."

"……돌았네?"

입술을 삐죽 내민 순희는 호다닥 자신의 방으로 들어갔고, 그걸 보던 순철도 고개를 저으며 방으로 들어갔다.

쿵!

따뜻한 베이지색의 벽지와 따뜻한 솜이불의 침대가 눈에 들어온다.

한쪽엔 태국에서 썼던 컴퓨터가 보이고, 책장엔 한국어 관련 서적과 컴퓨터 서적이 가득하다. 커다란 옷장엔 사계절 입을 옷과 신발이 가득 들어 있다.

"끄윽."

이런 온정. 솔직히 기대하지 않았다.

그래서 더 크게 다가온다.

황급히 눈가를 훔친 순철은 혹여 이 울음이 밖에 들릴까 화장실로 잰걸음을 옮겼다.

이후 저녁 식사도 서로 말은 별로 없었지만 참 따뜻했다.

고정숙은 안 그런 척 순희를 옆에 낀 채 이 반찬, 저 반찬 입에 물려 줬고, 순철의 술잔이 비면 그녀도 술을 마셔 종혁에게 잔을 채우라 재촉했다.

북에 있는 아버지처럼 무심하지만, 어머니처럼 세심했다.

종혁은 큰누나 순영같이 듬직하고 장난기가 많았다.

이런 복을 받아도 될까.

괜스레 북에 있는 부모님이 생각났다.

'오늘은 저녁이라도 드셨습네까?'

스르륵!

"오빠."

레이스 베개를 끌어안은 순희가 조심스럽게 들어온다.

"와 그라네? 잠이 안 오네?"

"바, 방이 너무 크지 않습네까. 오빠가 무서워할 것 같아서 왔시요."

"……그래. 안 그래도 무서웠던 참이다. 이리 오라. 같이 자 자."

그에 뽀로로 달려온 순희가 이불 안으로 파고들자, 순철은 자장자장 순희의 배를 두드렸다.

"참 좋은 분들입네다. 오마니랑 언니야 같았시요."

"……."

"하아암. 안녕히 주무시라요."

"그래. 너도 잘 자라."

곧 순희는 고롱고롱 코를 골았고, 그 소리에 생각이 많던 순철도 까무룩 잠이 들었다.

그렇게 새 가족을 얻은 두 남매의 하루가 저물어 갔다.

한편 종혁은 어머니를 찾았다.

로션과 스킨을 바르다 눈을 동그랗게 뜨는 어머니의 모습에 종혁은 풀썩 웃었다.

"고마워요."

"……됐어. 안 그래도 집이 쓸데없이 넓어서 외롭던 참이었어. 자식이라곤 하나 있는데 사건이 터졌다 하면 며칠씩 집에 안 들어오지……."

"오케이, 스탑. 죽을죄를 졌습니다."

"에혀. 이 집에 사람이 들어오면 며느리가 들어올 줄 알았는데……."

"알았다니까."

"너 진짜 고자니?"

"아니라고!"

"아니면 나가. 나도 자야 돼."

"사랑해요."

종혁은 퉁명스런 어머니를 꼭 안아 주곤 몸을 일으켰다.

그렇게 문을 닫을 때 화장대 거울을 보던 고정숙이 입을 열었다.

"애들이 눈치 많이 보더라. 그 어린 것들이…… 에혀."

"네. 저도 노력할게요."

"알면 됐어. 나가."

"……안녕히 주무세요."

방으로 돌아온 종혁은 어둠에 잠긴 천장을 가만히 바라보다 피식 웃으며 돌아누웠다.

그렇게 새롭게 가족이 된 네 사람의 밤이 깊어져 갔다.

* * *

순철과 순희는 이후 빠르게 집에 녹아들었다.

새벽녘부터 일어나 고정숙의 아침 식사 준비를 도우려던 순희는 몇 번 혼이 나더니 깨워야 일어나게 됐고, 편입을 시켰더니 학교를 평정하고 돌아왔다.

순철은 종혁의 아침 운동을 따라나서더니, 근처 고정숙 소유의 빌딩 내에 있는 PC방에서 아르바이트를 하며 검정고시와 외국어자격증 시험을 준비했다.

이에 종혁도 안심하고 업무에 집중할 수 있게 됐다.

"좋은 아침입니다."

"최 경위도 좋은 아침!"

언제나 사람들이 바삐 오가는 본청의 1층.

엘리베이터에 오른 종혁은 고개를 모로 기울였다.

"그런데 오늘 무슨 일 있어요? 평소보다 더 어수선하네요?"

뭔가 평소와 공기가 다르다.

"그렇지? 최 경위도 그렇게 느끼지? 오늘 높은 양반이 오나?"

"홍보, 뭐 들은 거 없어?"

"몰라요. 묻지 마세요……."

"……응, 그래. 자라. 그러다 관 짜겠다."

본청에서 힘들지 않은 부서가 어디 있을까.

홍보부도 매일이 야근이다.

띵!

"그럼 전 먼저 내리겠습니다. 모두 수고하세요!"

"그래! 파이팅!"

닫히는 문을 뒤로한 종혁은 콧노래를 부르며 특수범죄수사과 안으로 들어갔다.

"야, 이 개새끼야! 빨리 안 불어?!"

"밥? 아침바압? 아나, 주먹밥이나 처먹어라!"

"켁! 겨, 경찰이 사람 친다!"

"성훈아, 이 새끼 진실의 방으로."

"예, 진실의 방으로."

오늘도 평소와 같은 풍경에 종혁은 탕비실에서 모닝커

피 두 잔을 가져와 하나는 퀭한 얼굴의 김종두 과장에게 내밀었다.

"어제 한잔하셨어요?"

"12월이라서 망년회 겸 동창회 했어. 어우, 죽겠네."

나이가 들긴 들었는지 소주 2병만 마셔도 다음 날이 힘들다.

"꿀 탔으니까 쭉 들이켜세요."

"땡큐. 어으, 좀 살겠다."

컴퓨터 전원을 켠 종혁은 김종두를 봤다.

"그런데 이제 슬슬 약발도 떨어지는 것 같은데……."

"안 그래도 내일 마약대에서 터트린다더라."

연예인 마약 사건.

12월, 한 해를 마무리하고 새해를 기다리는 이번 달은 꽤 시끄러울 듯싶었다.

"내일 시끌시끌하겠네요. 그런데 오늘 뭔 일 있어요? 어수선하던데?"

종혁의 물음에 특수범죄수사과의 2인자인 박대철이 입을 열었다.

"오늘 방송국에서 촬영 온다던데?"

"방송국에서요? 경찰청사람들? 공개수배 25시?"

본청에 방송국이 온다면 그것밖에 없다.

"이야, 오랜만에 TV 볼 맛 나겠다. 걔들 종영하면서 볼 게 없었는데."

박대철은 한쪽 벽면을 가득 채운 TV를 봤다.

종혁도 눈을 빛냈다.

"그러네요. 저걸로 보면서 치킨 뜯으면 죽이겠네요."

"첫방 때 치킨 콜?"

"콜입니……."

—꺄아아악!

갑자기 들려오는 비명 소리에 모두의 몸이 굳는다.

반사적으로 고개를 돌린 그들은 귀를 기울였다.

—꺄아아악! 와아아!

소리가 점점 가까워지고 있다.

"뭐, 뭐지? 나가 볼까?"

형사들의 엉덩이가 들썩인다.

그때였다. 특수범죄수사과 사무실의 문이 조심스럽게 열리며 누군가 들어왔다.

거의 종혁과 비슷한 체구의 안경 낀 사내.

"아, 안녕하세요. 아하하."

그에 형사들이 벌떡 일어났다.

"어? 어어어?!"

아는 얼굴이다.

그들로서는 정혁빌딩 오픈식 때 딱 한 번 실제로 본 얼굴.

"재, 재 세민이 삼촌 아니야?"

"맞아, 김재우!"

"하하, 네. 안녕하세요."

종혁과는 깊은 인연이 있는 준형이 형들의 막내 멤버

김재우. 그런 그가 방송국 카메라 등과 함께 들어온다.

그에 종혁도 눈을 동그랗게 떴다.

"앗! 종혁아!"

카메라와 조명이 이쪽으로 향하자 눈을 껌뻑인 종혁은 이내 자리로 돌아가 모니터를 응시하며 마우스를 잡았다.

"엇?! 야! 최종혁! 왜 무시하는데!"

종혁은 더 무시하며 전화기를 들었다.

"예. 특수의 최종혁 경위입니다. 지금 본청에 잡상인이 들어온 것 같습니다. 내쫓아 주세요."

"끄응…… 형. 종혁이 형."

"아, 죄송합니다. 제 지인이네요. 예, 수고하세요."

전화를 끊은 종혁은 뚱하게 쳐다봤다.

"왜 왔냐? 남자 새끼가."

"푸……!"

"푸하하하핫!"

방송국 사람들은 빵 터졌지만, 종혁은 여전히 뚱했다.

* * *

"칫. 오랜만에 봤으면서 이러기야?"

"시끄러워. 남자 새끼 따위 살아 있는 것만 알면 되는 거지."

"정말 너무한 거 아니야, 형?"

"너무한 건 너 새끼지. 아무런 말도 없이 형 직장에, 어?"

PD와 작가는 김재우를 하찮게 보는 종혁의 모습에 신기해했다.

그 김재우다. 대한민국 국민 중 모르는 사람이 없다는 국민 남자아이돌 그룹의 멤버.

"그래서 진짜 왜 왔는데. 나 바쁘다고."

"음…… 만원의 행복이라고 알아?"

"아, 이게 그거야?"

안다. 회귀 전엔 관심이 없었는데, 지금은 순철과 순희가 매번 본방 시청을 하기에 알게 됐다.

"그런데 네가 그걸 찍을 급이…… 아, 되는구나 참. 네가 이따위로 생겨도 국민 아이돌이었지."

"진짜 너무하네! 내가 어? 지금 밖에 나가면 어? 수십만 팬들이 비명을 지르는 그런 사람이야!"

"나도 밖에 나가면 수십만 범죄자들이 비명을 질러."

"그러고 도망가니까 문제잖아."

"정답. 오올, 과장님."

김종두 과장은 콧대를 세웠다가 이쪽을 향한 카메라를 인식하곤 다시 몸이 딱딱하게 굳었다.

'에라이.'

"그래서 천원의 만찬 뭐 그런 거 해 주려고 왔냐? 네가 이제 사람이 됐구……."

"아니, 그건 우리 사장님 해 드렸는데."

"그럼 전 손님 배웅하고 오겠습니다."

"아, 형!"

"진짜 왜 왔는데. 나 벌써 세 번 물었다."

재우는 침을 삼켰다.

결코 다시 묻는 법이 없는 종혁. 그는 재빨리 입을 열었다.

"아, 알바하려고! 알바 좀 시켜 줘!"

"굳이? 여기서? ……왜?"

일단 이번 촬영은 최기룡 청장의 승인이 떨어졌기에 가능한 일이다.

'아, 설마?'

종혁의 머릿속에 내일 마약대가 터트릴 연예인 마약 사건이 떠오른다.

'전국이 들썩거릴 테니까 이런 유명 연예인을 방송에 출연시켜 시청률 방어를 하겠다는 건가?'

방송국 사장이 공개 사과를 한 지 3개월이 채 지나지 않았다.

여기서 연예인 마약 사건이 터진다면 방송국 모든 프로그램에 엄청난 타격이 올 거다. 모든 연예인의 도덕성이 의심을 받을 테고, 그런 연예인들을 쓰는 방송국도 다 한통속 아니냐며 믿지 못할 거다.

그래서 이런 수를 내민 거다.

방송국 나름의 호구지책.

아무래도 최기룡 청장이 방송국에 빚을 지운 것 같았다.

'에고, 이런 거라면 귀띔이라도 해 주지.'

최기룡 청장의 장난기 가득한 성격을 떠올린 종혁은 고개를 저었다.

'이 양반도 참 나이를 헛먹었다니까.'

"형?"

"돈을 벌고 싶으면 대학로 가서 길거리 공연을 해, 시키야."

"나도 그러고 싶지! 하지만……."

이 프로그램은 그렇게 쉽게 돈을 벌수가 없다. 결코 출연자가 편한 꼴을 못 보는 프로그램이었다.

"형, 진짜 살려 줘! 나 이제 4천 원밖에 안 남았다고!"

"에휴. 그때도 지지리 궁상이더니, 지금은…… 밥은 먹고 다니냐?"

정말 불쌍하게 쳐다보는 눈빛에 재우는 발끈했다.

"나도 돈 많거든!"

"네가? 나보다?"

종혁은 같잖다는 듯 웃었고, 재우는 고개를 푹 숙였다.

"아뇨. 제가 어떻게 형한테 비비겠어요."

코웃음을 친 종혁은 볼을 긁었다.

"흠…… 알바라. 네가 할 만한 일은 없는데."

"나 복사 같은 거 잘해! 짐도 잘 옮겨!"

"대외비라서 문제지."

범인을 취조하는 모습이 찍혀도 안 된다. 종혁이야 당당하지만, 좀 많이 그렇다.

"으음…… 아!"

"왜? 있어?"

"어, 잠깐만. 과장님, 저 애 생안과에 떨구고 올게요."

"생안과? 아핫! 오케이. 다녀와."

"옙! 김재우, 따라와."

"응!"

그들은 사무실을 나섰다.

사람들로, 특히 여경들로 가득한 복도.

어떡해, 어떡해 발을 동동 구르는 여경들의 모습에 종혁은 PD를 봤다.

"얘 사인이랑 사진 합쳐서 한 명당 10원 어때요?"

"헛!"

김재우와 여경들이 다급히 PD를 봤고, 어색하게 웃은 PD는 고민에 빠졌다.

"으음……."

그런 그의 머릿속에 잘 부탁한다는 최기룡 청장과 예능국장의 당부가 스쳐 지나간다. 슬그머니 여기 모인 사람들의 숫자를 헤아린 PD는 조심스럽게 입을 열었다.

"5원이면……."

"오케이! 이 경장님, 다 불러요!"

"라져-! 애들아, 콜 때려!"

"네!"

"아니, 자, 잠깐?!"

그렇게 간이 사인회가 열렸고, 김재우는 종혁에게 엄지

를 치켜들었다.

그렇게 꽤 시간이 흐른 후 그들은 다시 생안과, 생활안전과로 향할 수 있었다.

"그런데 두 분이 엄청 친하시네요? 재우 씨 데뷔 전부터 아시던 사이라고요?"

"예, 뭐……."

종혁이 대답하려고 할 때, 팔목을 돌리던 김재우가 얼른 끼어들었다.

"그럴 수밖에 없죠. 저희가 데뷔할 수 있게 도와준 사람이 종혁이 형이거든요. 저야 좀 나중에 합류해서 좀 덜한 감이 있긴 한데, 쭌이 형들에게 이 형은 진짜 은인이나 다름없어요."

"그거 나 아니라니까 그러네? 익명의 독지가라니까?"

"응, 뭐 그렇다 치자. 그보다 형 그 사무실? 강력반? 엄청 좋더라. 원래 경찰서는 이래?"

"……우리 수사과가 생긴 지 얼마 안 돼서 그래. 우리 경찰도 언제까지 그런 보편적인 이미지를 놔둘 순 없으니까."

거칠고 더럽고 무섭고.

사람들이 생각하는 경찰서란 그런 이미지다.

"아아."

'구라치지 마라, 구라쟁이야!'라는 전국 형사들의 성토가 들려오는 듯했지만 종혁은 가볍게 무시했다.

"아, 여기다."

문을 연 종혁은 거수경례를 했다.

"충성. 경위 최종혁. 일꾼 한 명 데리고 왔습니다!"

"오, 최 경위! 어서 와!"

본청 경찰 중 종혁을 모르는 사람이 어디 있을까.

"그런데 일꾼…… 어? 어어어?"

방금 전 재우와 사진을 찍었던 생안과의 여경들은 자신들 과로 왔다며 비명 같은 함성을 지른다.

그에 과장이 눈을 빛내며 달려왔다.

"저, 정말 일꾼이야? 유명한 연예인인데, 아무렇게나 써도 되는 거야?"

"만원의 행복입니다. 마음껏 부리십쇼. 무보수니까."

"……오호라? 그런 거였어?"

생안과 과장의 눈이 번뜩인다.

그동안 쓰고 싶어도 예산 문제로 쓰지 못했던 연예인이 제 발로 굴러 들어왔다. 이런 기회를 놓친다면 생활안전과의 과장이라고 할 수 없다.

"형, 나 왠지 느낌이 이상……."

"그럼 수고해. 난 바빠서 이만."

"형! 혀엉!"

종혁은 재우의 애탄 부름을 무시하며 다시 복귀했다.

하지만 그것도 잠시였다.

-최 경위! 청장님이 최 경위도 함께하래!

"에라이."

혀를 찬 종혁은 어쩔 수 없이 경찰 마스코트 인형옷을

입을 수밖에 없었다.

삐이익! 삐익!

"우와! 우와아! 김재우다!"

"와아악!"

"응. 재우 형이야. 모두 신호를 잘 지켜야지?"

경찰청 근처 초등학교 앞 횡단보도.

경찰 점퍼와 조끼를 입은 김재우가 추위와 싸워 가며 하교하는 아이들의 보행을 돕는다.

그리고 그 모습을 본청 홍보과에서 찍고 있다.

'재가 저기서 저런 일을 할 애가 아닌데…… 어휴. 그놈의 돈이 뭔지.'

시급 몇 백 원 푼돈에 저러는 걸 보니 눈물이 앞을 가린다.

하지만…….

"와아아아아!"

"이야아아압!"

"죽어라! 죽어!"

퍽! 퍼억!

종혁 본인의 꼴보다는 낫다.

종혁은 몸에 닿는 고사리 주먹과 발을 보며 한숨을 폭 내쉬었다.

'그놈의 명령이 뭔지. 인사 고과가 뭔지.'

종혁은 확 쥐어박아 버렸으면 좋겠다 부르르 떨리는 주

먹을 억지로 참으며 애써 몸을 흔들어야 했다.

그리고 이런 종혁의 모습은 며칠 후 방송을 타면서 빵 터지게 됐다.

* * *

"오. 미남 경찰 출근했어?"

김재우의 외모와 너무 비견되는 나머지 그런 별명이 붙었다.

"경찰다운 경찰! 좋은 아침이야?"

수사과 형사임에도 서슴없이 인형탈을 쓰는 걸 보며 그런 별명이 붙었다. 현재 종혁은 좀 유명해진 상태였다.

'뭐 이것도 시간이 지나면 잊을 테지만…….'

그나마 다행이라면 아이돌 활동으로 어마어마한 돈을 벌었을 재우를 돈으로 찍어 눌렀던 그 발언이 편집됐다는 점이다.

아마 그 발언까지 전파를 탔다면 지금보다 더 유명해졌을 것이다. 잠복이나 잠입 등을 해야 하는 형사로서 사양해야 될 일이었다.

'진짜 청장님만 아니었으면…….'

정말 그놈의 인사 고과가 뭔지.

"에휴. 좋은 아침입니다."

"오, 미남 경찰! 이야, 인기가 대단하던데? 벌써 팬레터까지 왔더라?"

"……팬레터요?"

김종두 과장은 짓궂게 웃으며 편지 하나를 종혁에게 건넸다.

장난인 줄 알았으나 정말 수신인에 종혁의 이름이 적혀 있었다. 강원도에서 온 편지였다.

특수범죄수사과의 모든 형사가 종혁의 곁으로 모여들었다.

"빨리 뜯어 봐!"

"큼큼."

종혁은 헛기침을 하며 애써 올라가는 입꼬리를 감추려 애썼다.

그리고 개봉한 편지 속의 내용을 천천히 읽어 내려갔다.

직후, 종혁의 낯빛이 급격하게 굳었다.

"……과장님, 저희 마무리 못한 사건 없죠?"

"급한 일은 딱히 없지?"

검사가 자료 부족하다고 리턴을 시키지만 않는다면 더 이상 할 일은 없다.

"그럼 사건 하나만 더 진행해도 괜찮을까요?"

편지에 시선을 고정시킨 종혁의 눈빛은 차갑게 가라앉아 있었다.

(회귀 경찰의 리셋 라이프 9권에서 계속)